LE

GENDRE DE M. POIRIER

COMÉDIE EN QUATRE ACTES

PAR

ÉMILE AUGIER ET JULES SANDEAU

EDITED WITH INTRODUCTION, NOTES AND A
VOCABULARY

BY

EDWIN CARL ROEDDER, Ph.D.

INSTRUCTOR IN GERMAN, UNIVERSITY OF WISCONSIN

NEW YORK ·:· CINCINNATI ·:· CHICAGO

AMERICAN BOOK COMPANY

LE GENDRE DE M. POIRIER
W. P. I

PREFACE

THE text chosen for this edition of Augier and Sandeau's play is that of the last edition of the Théâtre complet d'Émile Augier (Paris, Calmann Lévy, 1897). It
differs slightly from preceding editions, especially in act
II., scene 5 (cf. the note), where the change adopted
adds to the dignity of the drama, and in a few other
passages where a more rapid movement of action and
dialogue made the omission of a few insignificant passages in the earlier editions desirable, the omissions
amounting in all to about one page. The changes in
question were made by Augier himself, who moreover
wished the text of this last edition of his works to be con-
sidered as final; and it is the form in which the comedy
is to-day performed on the stage of the Théâtre-Français,
— two sufficiently weighty reasons for the adoption of
this text. Another point in which it is superior to the
older editions, not stated by Augier, are its more explicit
and numerous stage directions, enabling the reader to
form a more vivid picture of an actual performance.

The bibliography does not aim at completeness, but
efforts have been made to collect all of the more important
publications up to date.

In the introduction I have endeavored to give what
seemed to me the best opinions of fair-minded and conservative critics, both French and foreign, like Faguet,
Matthews, Montégut, Pontmartin, following especially the

3

excellent presentation by Doumic. I regret that the book by the distinguished Grenoble scholar Morillot came to my notice too late to be of any influence. I have tried to hold equally aloof from the somewhat exaggerated eulogies of Parigot and the prejudiced and radical criticisms of Zola, Spronck, Filon, Brunetière and Larousse. Owing to the more or less unique, if not isolated, position of *Le Gendre de M. Poirier* among Augier's works, his other dramas have here received but little consideration, most attention being paid to the play before us, its genesis, history, and composition. It has also been my aim to define, both in the introduction and notes, Sandeau's share more accurately than is ordinarily done in school editions.

It is hoped that the complete vocabulary, which also contains the proper nouns with the necessary explanations, and the full notes may enable students to read this modern French classic at an earlier stage of progress than has hitherto been customary.

In sincere gratitude I would make acknowledgment here for the kindness and interest shown in my work and the many valuable suggestions given me by M. Victor E. François, Instructor in the University of Michigan, and Dr. George Clarke, formerly Principal of Jarvis Hall Academy, now at Grey College, Bloemfontein, Orange River Colony. And it is a pleasant duty for me to acknowledge my debt of gratitude to my esteemed teacher, Prof. Dr. Max Hossner, who, some twelve years ago, at the Gymnasium of Bruchsal, Germany, with keen literary insight and loving appreciation first aroused my interest in the play which has never flagged since then. To him I would inscribe this edition as an humble token of my lasting respect.

E. C. R.

MADISON, WIS.

INTRODUCTION

1. " I WAS born, sir, in 1820. Since then, nothing has ever happened to me," was the laconic answer given to a person asking him for some reminiscences by Augier, the more important of the two partners in the production of the play before us. And, indeed, all that the sources generally contain about his life is this: GUILLAUME-VICTOR-ÉMILE AUGIER was born at Valence, in southeastern France, on September 17, 1820, and died at Croissy on the Seine (near Paris) on October 26, 1889. When eight years old he came to Paris, received a good classical education, graduated from his *collège* with honors, and turned to the study of law, his father's profession, which, with his parents' consent, he soon abandoned, to devote himself entirely to literary production.[1]

[1] Excepting a small volume of lyric poetry and a political pamphlet, his works consist entirely of dramas. The following twenty-eight (those marked with an asterisk being in verse) were performed: *La Ciguë** 1844; *L'Homme de bien** 1845; *L'Aventurière** 1848; *Gabrielle**, and *L'Habit vert* (jointly with Alfred de Musset) 1849; *Le Joueur de flûte**, and *La Chasse au roman* (with Jules Sandeau, not included in the *Théâtre complet*) 1850; *Sapho** (the libretto for Gounod's opera) 1851; *Diane** 1852; *La Pierre de touche* (with Sandeau), and *Philiberte** 1853; *Le Gendre de M. Poirier* (with Sandeau) 1854; *Le Mariage d'Olympe* 1855; *Ceinture dorée* 1856; *La Jeunesse**, and *Les Lionnes pauvres* (with Édouard Foussier) 1858; *Un beau mariage* 1859; *Les Effrontés* 1861; *Le Fils de Giboyer* 1862; *Maître Guérin* 1864; *La Contagion* 1866; *Paul Forestier** 1868; *Le Post-scriptum,* and *Lions et renards* 1869; *Jean de Thommeray* (with Sandeau) 1873; *Madame Caverlet,* and *Le Prix Martin* (with E. Labiche)

5

Augier enjoyed most excellent physical and mental health and a splendid humor. Barring some bitter attacks, in the sixties, by members of the conservative-clerical party, provoked by two of his dramas, his life was happy and peaceful. If we dare to add here that he was married, happily married, the statement is based solely on the ground that it would be preposterous to think that the staunchest defender, in modern French literature, of home and family life should have lived and died a bachelor.

2. Augier's dramas preceding *Le Gendre de M. Poirer* show the marked blending, more or less harmonious, of two potent factors: a thorough study of the dramatic masterpieces of the seventeenth and eighteenth centuries; and a strong touch of romanticism, which had dominated the stage from the triumph of VICTOR HUGO's *Hernani* in 1830 to the momentous failure of his *Burgraves* in 1843. The latter event favored the success of Augier's début, *La Ciguë,* " The Cup of Hemlock." This pretty and clever short comedy was hailed as the harbinger of a new era in French poetry; its young author had leaped into fame. The previous year the unsuspecting author of *Lucrèce,* FRANÇOIS PONSARD (1814-1867), had been pronounced the head of a new school, the neo-classical *École du bon sens,* and Augier, his personal friend, whose *Ciguë* he had revised, was regarded as his lieutenant. Neither Ponsard nor Augier, however, intended to work out a new literary creed. The neo-hellenism of *La Ciguë* was soon followed by the unsuccessful character comedy *L'Homme de bien* and by the half-romantic *L'Aventurière* and *Diane.* Augier simply had not yet found his way.

3. *Gabrielle* (1849) presents Augier's first study of contemporary manners. That this gentle play should have marked a date in French literature is to be attributed entirely to its moral attitude; for, over against the eccen-

1876; *Les Fourchambault* 1878. After the last-named, which was an eminent success, he gave up writing dramas, at the height of his fame. A few youthful dramatic attempts were never performed or printed.

tricities of the romanticists and GEORGE SAND'S novels, it sturdily defends the rights of the family threatened in its existence, and claims for quiet domestic life and its homely duties the poetry found by others only in the sinful fancy of a fleeting passion. This re-introduction on the stage of the expression of sound common sentiment was gratefully appreciated by the public and the Académie française, which bestowed upon the author the Monthyon prize of virtue. The romanticists naturally showered ridicule upon *Gabrielle;* and while the play as such has its intrinsic merits, their attack is only too justified when we consider its form, which attempts to express in verse the prosy details of every-day life.

4. The year 1852 witnessed an event that completely revolutionized the French drama and swept off the stage most of the pseudo-classical and romantic rubbish of the preceding decades. This was the performance of the younger DUMAS' *La Dame aux camélias,* the first *comédie de mœurs*[1] properly so called. Both in England and Germany a similar type of drama had long before then carried the day; but France in her literary isolation had not felt its influence. While MOLIÈRE'S dramatic formula chooses the type of some human folly and then embodies it in some simple, naïf plot, the *comédie de mœurs* studies contemporary man not as what he is at the bottom of his heart but such as he shows himself in his social relations, formed and deformed by existing conditions, and delineates a picture of life at a certain date. This kind of drama had been conceived by the theorists of the XVIIIth century, DIDEROT and MERCIER, of which fact Dumas, however, was quite ignorant. Overshadowed at first by the classical and pseudo-classical drama, it had not gotten beyond meager beginnings when it was brushed aside by the romanticists, whose chief interest lay in the study of past ages

[1] The usual translation " comedy of manners " is hardly accurate enough; *comédie* is used in a wider significance than English *comedy,* and the same holds good for *mœurs* and *manners.* " Social drama," " realistic drama," " drama of observation " approach the French phrase more closely.

and exceptional sentiments, and by the *vaudevillistes* like SCRIBE (1791-1861), who endeavored to excel in clever plots regardless of the usual course of life, in the extraordinary, the fictitious. The *comédie de mœurs* adopted features of both. From the romantic drama it took both the study of the *milieu*, — the framework of society limiting and modifying human conduct, — and the mixture of serious and pathetic elements with comic and amusing ones. Scribe's comedies furnished the models for the technical skill and deftness in managing a plot expected and demanded by the public. Its method of observation the new drama took from the novels of HONORÉ DE BALZAC (1799-1850), who in his *Comédie humaine* had pointed out the royal road to the coming dramatists, — the development of the drama, as usual, following that of the novel, or of epic poetry in general.

5. In the meantime, Augier had begun his literary collaboration with JULES SANDEAU.[1] The first product of their partnership, *La Chasse au roman,* had little or no success. The second, *La Pierre de touche,* " The Touchstone," is still deservedly popular, although the shortcomings of literary collaboration are very evident in it.[2] The setting is still half-romantic. The appearance of *La Dame aux camélias* wrought the radical and lasting change in Augier's dramatic career. Augier was not slow to recognize the great possibilities and brilliant future of the new dramatic formula, and he devoted himself henceforth entirely to the *comédie de*

---

[1] Sandeau (born February 19, 1811; died April 24, 1883) is best known as the author of numerous novels, e.g., *Madeleine, Sacs et parchemins, Mademoiselle de la Seiglière, La Maison de Penarvan* (the last two of which he dramatized), and was the first novelist proper to be received into the Académie française (May 26, 1859). Vitet, director of the Academy, in his *Éloge de M. Sandeau,* credited him with " the right degree of sensibility, a graceful suppleness, a gentle and hardly perceptible irony, a modest and easy delivery introducing an elegant narration."

[2] The situations, it has been said, were furnished by Sandeau, the characters by Augier.

mœurs. The first work of this new epoch of his dramatic production, and the best of his collaboration with Sandeau, is *Le Gendre de M. Poirier.*

6. Toward the end of the middle ages, the *bourgeoisie*[1] had begun to covet social recognition by, and beside, the *noblesse,* the aristocracy of birth. This struggle furnished the subject for two of MOLIÈRE'S plays, *George Dandin* (1668), and *Le Bourgeois gentilhomme* (1670).[2] Class distinctions at Molière's time were still so plain, so clean cut that *"sortir de son état"* was a foible as deserving of ridicule as any in the great master's comedies; a *bourgeois* would laugh at M. Jourdain's whim as heartily as any aristocrat; and George Dandin's bitter self-reproach, *"Vous l'avez voulu, George Dandin!"* is but the natural result of his foolish marriage. A kindred theme is that of LESAGE'S *Turcaret ou le financier* (1709), a comedy of very high order, representing the typical parvenu, uncultured, and full of borrowed vices. But despite all ridicule the *bourgeoisie* was steadily gaining ground, and class distinctions gradually began to totter. BEAUMARCHAIS, venturing a step farther, brought into hostile contact nobles and their servants, in his *Mariage de Figaro* (1784), a play full of bitterness and pessimism despite its frolics, famous beyond its

[1] The wealthy middle class, chiefly composed of merchants and manufacturers, and distinguished from nobles and soldiers on one hand, laborers and artisans on the other; generally conservative, and ever the strongest support of constitutional government.

[2] *George Dandin,* a wealthy *bourgeois,* marries a young noblewoman and soon is mercilessly tyrannized by his father-in-law, M. de Sottenville. The rich *'bourgeois gentilhomme,'* M. Jourdain, is possessed with the mania of entering the ranks of nobility by marrying his daughter to a nobleman, and, to be acceptable in aristocratic society, takes lessons — at the age of fifty — in dancing, music, fencing, and philosophy. He is the dupe of a young nobleman courting a lady of rank at M. Jourdain's expense; and his daughter is finally married to a good *bourgeois* suitor who comes disguised as a high Turkish official of noble birth.

merits, and the enormous success of which is partly due to its appearance at a time teeming with revolutionary ideas.

7. The French Revolution of 1789 swept away all the privileges of nobility; and after a short reaction under the Bourbon kings from 1815-1830, the equalization of classes was completed under the reign of Louis-Philippe, the "citizen king," of the House of Orléans, whose chief support was the *bourgeoisie*. The latter had apparently triumphed. But the old class rivalries had merely changed in form, and received even a new impulse: part of the nobility supported the new court of the Orleanists, thereby coming into closer contact with the bourgeoisie; the Legitimists, comprising most of the older houses, remained faithful to the exiled Bourbon princes.

8. Such are the political and social conditions forming the background of Sandeau's novel *Sacs et parchemins* (1850), the immediate literary source of *Le Gendre de M. Poirier*.

M. Levrault, a retired cloth merchant and millionaire, aspires to the dignity of a peer of France. His daughter Laure, educated in a highly aristocratic boarding school, where her plebeian origin has been a source of constant ridicule, is resolved to marry only a nobleman, convinced that her father will gladly buy one for her, and that, although pretty and clever, she will be loved solely for her money. They buy a castle in Brittany. Barely escaping from a trap set them by the vicomte Gaspard de Montflanquin, who is heavily in debt, and his chief creditor, they fall into the snares of the marquise de la Rochelandier, who, to rehabilitate the shaken finances of her house, wants a rich wife for her son Gaston. Leaving Gaston in ignorance, she convinces Levrault that he could easily persuade her son to join the Orleanist party; the best way for Levrault to attain to his cherished ambitions. Gaston marries Laure, thinking that she loves in him only the bearer of an aristocratic name. Some months later, overhearing a dispute between his mother and Levrault, he learns how his name has been bargained with, and sturdily resolves to make good his mother's promise. Unfortunately for the premature delight of Levrault and Laure, the Revolution of 1848 breaks out. The Second Republic abolishes the Chamber of Peers and all titles of nobility; Levrault loses all his money by the failure of his bank: Laure is no longer a marquise, Gaston is as poor as ever. This apparent misfortune aids the young couple in learning to know and to love each other for their own sake; and as Gaston enters upon a life of toil and usefulness a happy future is in store for them.

Le Gendre de M. Poirier is by no means a simple dramatization of this novel. To Sandeau the play owes a fair share of its success (cf. § 12) ; to the novel it owes but the general suggestion of the theme, one of the chief characters, essentially modified, and a few minor matters of detail.

9. At its first performance, April 8, 1854, at the Théâtre du Gymnase-Dramatique, the play met with a sympathetic reception which toward the close changed to ecstatic applause. Jules Janin, the critic of the *Journal des Débats,* predicted after the first acts that within ten years it would be permanently adopted by the Théâtre-Français; a prophecy fully justified by the events. Among all of Augier's plays, *Le Gendre de M. Poirier* to-day stands the greatest favorite of critics, theater-goers, and readers. For it is a serious work of art of lasting import, not merely a good stage-play to while away a few leisure hours; and it stands the strongest test of a classic: it gains with each repeated reading.

10. The plot is worked out with skill and care, with numerous truly dramatic situations and surprises. The dialogue, bright and lively, full of sparkling wit as well as genuine humor, contains many passages of deep thought and some of striking beauty. But the chief excellence of the play are its marvelously life-like characters and their unfolding under the change of situations. All of them are sharply defined in bearing, sentiment, and speech, so as to retain easily a place in one's memory. Poirier, much manlier and more sympathetic than M. Levrault, is one of those square and solid *bourgeois* that only Augier knows how to delineate, and in whose delineation he feels at his ease, knowing them well enough to appreciate fully their homely virtues, and too well to make idols of them. Gaston de Presles, less noble

than Gaston de la Rochelandier, is vastly more amusing and brilliant. The bearer of an illustrious name, — a valuable possession even in the most democratic society, much more so in France during the forties, — he is brave, possessed of a truly aristocratic elegance and refinement of manners which cannot be learned but must be inherited from generations, and, despite his faults, which the authors do not endeavor to excuse, good at heart. Nor must all of his faults be charged to him personally; having been brought up in the notion that a nobleman must not work, he is easily started on the wrong path. The duke, who has subordinated his political conviction to the higher demands of patriotism, contrasts favorably with Gaston and illustrates the better side of the nobility; just as Verdelet, more cultured than Poirier, and not blind to the fashionable vices of the nobility or to the narrowness of the *bourgeoisie,* excellently represents the latter. These two characters, while subordinate, are important as two correctives. Antoinette, the innocent victim of her father's ambitions and her husband's frivolity, equally remote from maudlin sentimentality and from Laure Levrault's worldly-wise lack of sentiment, is the most charming figure of the play. Her husband's aristocratic traits and great name please her womanly idealism rather than the fancy of a little *bourgeoise*. A woman, she easily adjusts herself to the new sphere; great and lofty sentiments are natural to her, a plebeian's daughter with a patrician soul.

11. PONTMARTIN, whose review of the play, written under the fresh impression of the first performance, belongs among the most thoughtful expressions of opinion, thinks the authors originally meant to write "*La Revanche de George Dandin,*" — a young nobleman marrying beneath his station, and delivering himself up to a tyrannical father-in-law,[1] — and, deviating therefrom, embodied in the dramatic composition another play, — a prodigal son-in-law, Gaston's relations with Mme. de Montjay, their discovery, the breach

[1] With due modification, the contents of Sandeau's novel, which Pontmartin, however, seems not to know.

between husband and wife, and their final reconciliation. But assuming that Augier's originality would have been satisfied by either of the plays suggested, a *Revanche de George Dandin* was the very thing to be avoided. To quote Pontmartin himself, the theme handled had grown more delicate since the days of Molière, Lesage, and Beaumarchais. Class distinctions had been abolished, but not class feelings. The nobility, now no longer a power, but only a form, a memory, was more sensitive; what in the days of its power had been comedy was now a cruel satire. The *bourgeoisie,* jealous of its newly-gained political and social equality, was loath to be reminded of distinctions the validity of which it no longer recognized. Pontmartin's objection that true comedy operates with very simple means — partly directed against Scribe's "well-made" plays — would really go against the whole dramatic system of the new *comédie de mœurs,* which Pontmartin seemingly does not fully understand and appreciate. He is also forced to admit that the sources of enjoyment and emotion opened up by the combination indicated enhanced the success of the play.[1]

12. *Le Gendre de M. Poirier* is often referred to as Augier's, without mention of Sandeau. That is unfair to the author of *Sacs et parchemins.* One critic ascribes

---

[1] (*a*) With the character of Poirier himself Pontmartin finds grave fault. 1. He would have him delineated in greater proportions, more serious and intelligent, a self-conscious *bourgeois* entitled to his political ambition. 2. If Poirier, for the quicker attainment of his ends, wanted an aristocratic son-in-law, why choose a gambler and duelist heavily in debt, — certainly not a high recommendation at court? 3. And why choose a partisan of the Bourbons? To this we may answer: 1. Such a man would be more respectable, and just as certainly less amusing than Poirier. The features most objected to by Pontmartin are traceable to Sandeau's M. Levrault; some could easily be eliminated (*e.g.,* by substituting *fièrement* for *piteusement,* p. 73, l. 14), and the entire character is brought out in stronger relief by the unexcelled playing of Got, compared to Lesueur's who created the rôle. 2. The failings of a marquis de Presles would easily be for-

to Sandeau a half-paternity in the play. That is crediting him with too much. Which of the two authors first had the happy idea of dramatizing the novel? Most likely it arose in a friendly chat by the fireside, of which Augier was so very fond,[1] and so belonged "to neither and to both." The drama is a much better one than Sandeau alone could have written. "In passing through Augier's brain the ideas which might not have originated there obtain their breadth and value" (Doumic). At the same time the play is much better for Sandeau's collaboration, the chief

given; and the poor and thoroughly virtuous marquis might not be so very plentiful; perhaps, too, their aristocratic pride would not permit them to sell their name. 3. This indeed is a vulnerable point, not sufficiently explained, and again to be charged up to Sandeau's novel. Gaston marries Mlle Poirier, as ignorant of Poirier's plans as Gaston de la Rochelandier is of Levrault's. But Levrault has at least an understanding with Gaston's mother, while Poirier entirely fails to inform himself in time. He may, of course, have thought that winning a legitimist like the marquis de Presles for Louis-Philippe would count all the higher in his favor at court; but that should have been intimated in the play.

(b) What all other critics regard as the most beautiful passage, Antoinette's *"Va te battre, va!"* (p. 105, l. 1) SPRONCK attacks as an unpardonable inconsistency. If indeed Antoinette sent Gaston to a duel for a mistress, so that what certain circles would call his honor might be preserved, she would give up a point well gained and well worth the gaining; it would be an act of woefully misplaced generosity, the marquise de Presles would have gotten the better of the wronged wife, and Poirier's "*Que les femmes sont bêtes!*" would not be quite inappropriate. But is this all a mere stage trick so deftly managed that the spectators forget to analyze it? No; Gaston's abandoning the duel is to Antoinette a sufficient proof of the loyalty of his love for her; she knows now that the duel is no longer "the remnant of an odious past," and that in fighting it out he will fight for his name only. To be sure, her action is prompted, not by any shrewd calculation as to its effects, but by the same generous impulse that guides her in two preceding scenes.

[1] Cf. his preface to *Les Lionnes pauvres.*

feature of which is modification and suggestion, rather than dramatic construction and character delineation. Sandeau is for the composition what the duke and Verdelet are for the drama. Augier shows himself in other plays as an opponent of the nobility; Sandeau, "the exquisite Van Dyck of the noble houses in the XIXth century, who alone knows how to paint them without hostile prejudice or servile indulgence, and how to make us love them even in their narrowness and prejudices" (Montégut), shows a strong leaning in the other direction. While both authors separately might have produced the work of a somewhat short-sighted partisan, together they created the work of an impartial, far-sighted statesman. Their literary qualities, too, are blended in harmony, neither over-emphasizing nor weakening but supplementing each other: "The brush was held by two hands at once, one governed by bold vivacity, the other by fond deliberation, each admirably correcting the other's excesses or hesitations; which evidently explains the irreproachably delicate shading of the picture" (Montégut). It also explains the marked absence of the deficiencies of collaboration as stated by Lebrun.[1] *Le Gendre de M. Poirier* is the first masterpiece written in collaboration since the days of Beaumont and Fletcher.

13. And it remained Augier's masterpiece as well. In none of his later dramas, however pronounced their success, did he reach the same serene height of pure art. If Augier had written other plays like *Le Gendre de M. Poirier,* or even if he had written but this one comedy, it would be justifiable to call him a master in the same breath with Molière, which now, considering his other work, would be a gross mistake of literary piety and a failure to recognize the laws of historical perspective. For rarely does Augier, outside *Le Gendre de M. Poirier,* produce that Molièrean atmosphere in which the spectator good-naturedly laughs at human follies because he feels so far above them. Like all French

[1] *Éloge de M. Augier,* at his admission to the Académie française, January 28, 1858.

writers of comedies since Molière, Augier was a pupil of the great master in his youth; like all successful French playwrights since Molière, he was compelled by the new times to shake off the master's yoke. And Augier was indeed a talent empowered to speak forth what the epoch possessed, but not a genius that, the messenger of a new time, could produce what it lacked and clothe in enduring beauteous form great truths after the expression of which humanity was striving. Again, he has put on the stage a number of marked individualities, and his characters easily furnish the composite picture of the French *bourgeois;* but he has not created any character that is a personality and a type at the same time. Technically he has made no advance beyond Scribe; and the dramatic *genre* in which his real strength lay had to be pointed out to him by Dumas *fils*.

14. None the less, Augier's remains the honorable place of the foremost among the French dramatists in the second half of the XIXth century. In his whole intellectual make-up the most striking quality is his good sense and common sense, which characterizes him as a type of the French *bourgeois* whom only he knew how to portray so faithfully; indeed, Spronck, his sharpest critic, whom undue praise by others has roused to manifest injustice, would concede only that " as documents of a certain social class of a certain historical epoch his plays, being more instructive than any others, will remain valuable." To this good sense he owes his correctness and steadiness of observation, his clear and keen insight, his certainty of mind, his hatred of skepticism and ironical mockery, his successful endeavor to express under a personal form the ideas most generally accepted and fully tested by time (Doumic). To this same good sense — the normal mental attitude of the healthy, well-fed, and well-clad, which has often been the foe of the truly great and individual in French literature — we must attribute Augier's limitations: his aversion to any novel ideas threatening those traditionally received, his undue worship of *" les grands mots,"* his anxiety to have the mass behind him in order to

stand his ground firmly. Other characteristic traits are his sanguine temper, his optimistic and robust gayety. "His language, frank, and of manly candor, never makes true virtue blush. He is logical in the construction of his works, which are strong not in single parts, but in their entirety, and all have a beginning, a middle, and an end. He never grows violent like Sardou; his characters walk through the doors rather than through the windows, and on their feet rather than on their hands" (Montégut). A master of stagecraft, he obtains surprising results with seemingly insignificant means; a true dramatist, he keeps himself invisible in his works, and rather than employing any extra character as his mouthpiece he makes the whole drama voice its idea and its moral. This moral is not patched upon the play in the shape of reward of virtue or punishment of vice, but consists in the impression obtained in the course of the drama; a true artist, he wrote no dramatized sermons. It would be an easy task to point out the workings of poetic justice in all of his plays. Augier's is the good and solid moral of the French *bourgeois,* a worship and defense of home and family, the foundation of the whole social order. Granting that "*vox populi vox Dei,*" Augier does preach God's word, without, like Dumas *fils,* "enlisting all the tricks of the devil, and presenting a moral possibly good enough to satisfy everybody's conscience, but hardly fit for everybody's ears" (Doumic).

15. Some of Augier's dramas are losing all but their historical interest; some are almost disappearing even from the literary horizon. But *Le Gendre de M. Poirier* to this day remains what Montégut called it, "not only the best comedy of our time, but also answering best the conception formerly held of an ideal comedy." Social conditions have essentially changed since its first performance; the leveling of classes, while not completed, has progressed considerably. But the play will retain its life — a portion of which, let us be mindful, it owes to Jules Sandeau — as long as any of Molière's; for it is purely and delightfully human.

BIBLIOGRAPHY

BRUNETIÈRE, FERDINAND, *Manuel de l'histoire de la littérature française* (Paris, 1898), pp. 491-495.

CLARETIE, JULES, *Émile Augier.* Célébrités contemporaines, No. 4. (Paris, 1882.)

COTTINET, EDMOND, *L'Homme dans Émile Augier.* (Not in trade.)

DOUMIC, RENÉ, *Portraits d'écrivains* (Paris, 1896), pp. 57-96.

—— *De Scribe à Ibsen* (Paris, 1896), pp. 71-80.

—— in L. PETIT DE JULEVILLE, *Histoire de la langue et de la littérature française,* tome VIII (Paris, 1899), pp. 113-136.

FAGUET, ÉMILE, *Histoire de la littérature française* (Paris, 1900). II, pp. 408 ff.

FILON, AUGUSTIN, *The Modern French Drama. I. The Age of Dumas and Augier.* Fortnightly Review, 1897, pp. 871-886.

—— *De Dumas à Rostand* (Paris, 1898), pp. 1-35.

LAROUSSE, PIERRE, in *Grand Dictionnaire universel du* XIXe *siècle.*

LEMAÎTRE, JULES, *Impressions de théâtre* (Paris, 1894).

LINDAU, PAUL, *Émile Augier,* in Nord und Süd, 1886.

MATTHEWS, BRANDER, *French Dramatists of the XIXth Century* (3d edition, New York, 1901), pp. 105-135.

MONTÉGUT, ÉMILE, *Émile Augier. Esquisses dramatiques,* Revue des deux mondes, 1er avril, 1878 (vol. 134, new series 26), pp. 628-659.

MORILLOT, PAUL, *Émile Augier. Étude biographique et critique.* (Grenoble, 1901.)

PAILLERON, ÉDOUARD, *Émile Augier.* (Paris, 1889.)

PARIGOT, HIPPOLYTE, *Le Théâtre d'hier* (Paris, 1893), pp. 1-122.

—— *Émile Augier.* Classiques populaires. (Paris, 1894.)

PETIT DE JULEVILLE, LOUIS, *Le Théâtre en France* (Paris, 1893), pp. 406-411.

PONTMARTIN, ARMAND DE, *Le Gendre de M. Poirier, de MM. É. Augier et J. Sandeau.* Revue des deux mondes, 15 avril, 1854 (1854, VI), p. 415 ff.

SAINTE-BEUVE, C.-A., *Causeries du lundi,* v, pp. 388 ff.; IX, pp. 518 ff.; xv, pp. 317-321.

SAINTSBURY, GEORGE, *Essays on French Novelists* (2d edition, London, 1891), pp. 263-294 (on Sandeau).

SAINT-VICTOR, PAUL DE, *Émile Augier.* (Paris, 1889.)

SARCEY, FRANCISQUE, *Quarante ans de théâtre,* vol. VI (Paris, 1901), pp. 1-103, especially pp. 16-23.

SARRAZIN, JOSEPH, *Das moderne Drama der Franzosen* (Stuttgart, 1888), pp. 55 ff.

SOUDAY, PAUL, *Le Théâtre d'Émile Augier.* La grande Revue, décembre, 1899 (vol. VIII), pp. 674-702.

SPRONCK, MAURICE, *Émile Augier.* Revue des deux mondes, 15 novembre, 1895 (vol. 132), pp. 382-405.

THIERRY, ÉDOUARD, *Émile Augier,* in *Souvenirs du Théâtre-Français:* Revue d'art dramatique, 15 novembre, 1889.

WEISS, J.-J., *Le Théâtre et les mœurs* (Paris, 1889), pp. 244-254.

ZOLA, ÉMILE, *Nos auteurs contemporains.* (Paris, 1881.)

PERSONNAGES

———

M. POIRIER   CHEVASSUS
GASTON, marquis de Presles   ANTOINETTE
HECTOR, duc de Montmeyran   LE PORTIER
VERDELET   UN DOMESTIQUE
VATEL

La scène se passe à Paris, dans l'hôtel de M. Poirier.

———————————

Poirier (= pear tree, "Mr. Pear") suggests the plebeian; cf. the name of Levrault ("Hare") in *Sacs et parchemins.* — *Presles :* pronounce *prè-l.* — *Chevassus :* sound the final *s.*

LE GENDRE DE M. POIRIER

ACTE PREMIER

Un salon très riche. — Portes latérales, fenêtres au fond, donnant sur
un jardin. — Cheminée avec feu.

SCÈNE I

UN DOMESTIQUE, LE DUC, *en uniforme de chasseur
d'Afrique*

LE DOMESTIQUE (*assis, tenant un journal*). Je vous
répète, brigadier, que monsieur le marquis ne peut pas
vous recevoir ; il n'est pas encore levé.

LE DUC. A neuf heures ! (*A part.*) Au fait, le soleil
5 se lève tard pendant la lune de miel. (*Haut.*) A quelle
heure déjeune-t-on ici ?

LE DOMESTIQUE. A onze heures... Mais qu'est-ce
que ça vous fait ?

LE DUC. Vous mettrez un couvert de plus.

10 LE DOMESTIQUE. Pour votre colonel ?

LE DUC. Oui, pour mon colonel... C'est le journal
d'aujourd'hui ?

LE DOMESTIQUE. Oui, 15 février 1846.

---

2 *ne peut pas* : *ne* alone sufficing with *pouvoir*, the addition of *pas*
makes a very strong negation. — **7** Members of the wealthy classes in
Paris without settled occupation take their first regular meal between
11 and 12 A.M. — **8** *ça* : familiar, and the omission of *monsieur* after
oui in line 13 characterize the overbearing tone of the servant in this
conversation.

LE DUC.   Donnez!

LE DOMESTIQUE.   Je ne l'ai pas encore lu.

LE DUC.   Vous ne voulez pas me donner le journal?
Alors vous voyez bien que je ne peux pas attendre.   An-
5 noncez-moi.

LE DOMESTIQUE.   Qui, vous?

LE DUC.   Le duc de Montmeyran.

LE DOMESTIQUE.   Farceur!

SCÈNE II

LES MÊMES, GASTON

GASTON.   Tiens, c'est toi?...   (*Ils s'embrassent.*)

10   LE DOMESTIQUE (*à part*).   Fichtre...j'ai dit une bêtise...   (*Il sort.*)

LE DUC.   Cher Gaston!

GASTON.   Cher Hector! parbleu! je suis content de
te voir!

15   LE DUC.   Et moi donc!

GASTON.   Tu ne pouvais arriver plus à propos!

LE DUC.   A propos?

GASTON.   Je te conterai cela...   Mais, mon pauvre
garçon, comme te voilà fait!   Qui reconnaîtrait, sous
20 cette casaque, un des princes de la jeunesse, l'exemple
et le parfait modèle des enfants prodigues?

LE DUC.   Après toi, mon bon.   Nous nous sommes
rangés tous les deux: toi, tu t'es marié; moi, je me

---

9 Embracing and kissing are very common in France between men.
The fine distinctions in the employment of *toi* and *vous* throughout
the play are worthy of notice. — 13 *parbleu :* cf. also *morbleu, palsam-*
bleu (Voc.).   The frequent use of the name of the deity is to a French-
man no sign of irreverence as it is to an American; hence, do not
render such expressions literally. — 19 *comme . . . fait :* see *faire.*

suis fait soldat, et quoi que tu penses de mon uniforme, j'aime mieux mon régiment que le tien.

GASTON (*regardant l'uniforme du duc*). Bien obligé!

LE DUC. Oui, regarde-la, cette casaque. C'est le seul
5 habit où l'ennui ne soit pas entré avec moi. Et ce petit ornement que tu feins de ne pas voir... (*Il montre ses galons.*)

GASTON. Un galon de laine.

LE DUC. Que j'ai ramassé dans la plaine d'Isly, mon
10 bon.

GASTON. Et quand auras-tu l'étoile des braves?

LE DUC. Ah! mon cher, ne plaisantons plus là-dessus: c'était bon autrefois; aujourd'hui, la croix est ma seule ambition, et pour l'avoir, je donnerais gaiement une
15 pinte de mon sang.

GASTON. Ah çà! tu es donc un troupier fini?

LE DUC. Hé! ma foi, oui! j'aime mon métier. C'est le seul qui convienne à un gentilhomme ruiné, et je n'ai qu'un regret, c'est de ne pas l'avoir pris plus tôt. C'est
20 amusant, vois-tu, cette existence active et aventureuse; il n'y a pas jusqu'à la discipline qui n'ait son charme; c'est sain, cela repose l'esprit d'avoir sa vie réglée d'avance, sans discussion possible et par conséquent sans irrésolution et sans regret. C'est de là que viennent l'insouciance
25 et la gaieté. On sait ce qu'on doit faire, on le fait, et on est content.

GASTON. A peu de frais.

LE DUC. Et puis, mon cher, ces idées patriotiques,

2 *régiment*, while suggesting *régime*, *régner*, etc., does not, and never did, mean *régime*; so this is not directly a play on words. The duke means *le régiment des hommes mariés* or *des gendres*; cf. page 26, line 19. — 5 *soit*: subjunctive in relative clauses after superlatives, *premier*, *dernier* and *seul*. — 11 The badge of the Legion of Honor (see *brave*) was scorned and scoffed at by the older nobility. — 18 *convienne*: cf. above, line 5. — 21 *il n'y a ... charme*: see *jusque*.

dont nous nous moquions au café de Paris et que nous
traitions de chauvinisme, nous gonflent diablement le
cœur en face de l'ennemi. Le premier coup de canon
défonce les blagues, et le drapeau n'est plus un chiffon
5 au bout d'une perche, c'est la robe même de la patrie.

GASTON. Soit; mais ton enthousiasme pour un drapeau qui n'est pas le tien...

LE DUC. Bah! on n'en voit plus la couleur au milieu
de la fumée de la poudre.

10 GASTON. Enfin, tu es content, c'est l'essentiel. Es-
tu à Paris pour longtemps?

LE DUC. Pour un mois, pas plus. Tu sais comment
j'ai arrangé ma vie?

GASTON. Non, comment?

15 LE DUC. Je ne t'ai pas dit?... C'est très ingénieux:
avant de partir, j'ai placé chez un banquier les bribes
de mon patrimoine, cent mille francs environ, dont le
revenu doit me procurer tous les ans trente jours de mon
ancienne existence, en sorte que j'ai soixante mille livres
20 de rente pendant un mois de l'année, et six sous par jour
pendant les onze autres. J'ai naturellement choisi le carnaval pour mes prodigalités: il a commencé hier, j'arrive
aujourd'hui, et ma première visite est pour toi.

GASTON. Merci! Ah çà! je n'entends pas que tu
25 loges ailleurs que chez moi.

LE DUC. Oh! je ne veux pas te donner d'embarras...

---

1 *café :* practically the home of many unmarried Parisians, corre-
sponding in many ways to our fashionable club-houses. — 6 *Soit :* see
être. — 7 Gaston alludes to the tricolor (blue-white-red), the flag of
France during the first revolution, and re-adopted by Louis-Philippe,
while he as a legitimist swears by the Bourbon banner, the gold *fleurs
de lis* on white ground. — 18 *tous les ans :* this, however, is the duke's
first furlough after at least two years' service. — 20 The duke receives
what would correspond to an annual income of 60,000 francs, for one
month, i.e., 5,000 francs.

GASTON.   Tu ne m'en donneras aucun, il y a justement dans l'hôtel un petit pavillon, au fond du jardin.

LE DUC.   Tiens, franchement, ce n'est pas toi que je
crains de gêner, c'est moi.   Tu comprends...tu vis en
5 famille...ta femme, ton beau-père...

GASTON.   Ah! oui, tu te figures, parce que j'ai épousé
la fille d'un ancien marchand de draps, que ma maison
est devenue le temple de l'ennui, que ma femme a ap-
porté dans ses nippes une horde farouche de vertus bour-
10 geoises, et qu'il ne reste plus qu'à écrire sur ma porte:
« Ci-gît Gaston, marquis de Presles! »   Détrompe-toi.
Je mène un train de prince, je fais courir, je joue un
jeu d'enfer, j'achète des tableaux, j'ai le premier cuisinier de Paris, un drôle qui prétend descendre de Vatel
15 et qui prend son art au grand sérieux; je tiens table
ouverte (entre parenthèses, tu dîneras demain avec tous
nos amis et tu verras comment je traite) ; bref, le mariage
n'a rien supprimé de mes habitudes, rien...que les créanciers.

20 LE DUC.   Ta femme, ton beau-père, te laissent ainsi
la bride sur le cou?

GASTON.   Parfaitement.   Ma femme est une petite
pensionnaire, assez jolie, un peu gauche, un peu timide,
encore tout ébaubie de sa métamorphose, et qui, j'en
25 jurerais, passe son temps à regarder dans son miroir la
marquise de Presles.   Quant à M. Poirier, mon beau-
père, il est digne de son nom.   Modeste et nourissant
comme tous les arbres à fruit, il était né pour vivre en
espalier.   Toute son ambition était de fournir aux des-
30 serts d'un gentilhomme: ses vœux sont exaucés.

LE DUC.   Bah! il y a encore des bourgeois de cette
pâte-là?

---

20 *laissent . . . cou:* see *bride.* — 24 *et* is the regular connective of
a relative clause with a noun followed by an adjective.

GASTON.   Pour te le peindre en un mot, c'est George Dandin à l'état de beau-père... Sérieusement, j'ai fait un mariage magnifique.

LE DUC.   Je pense bien que tu ne t'es mésallié qu'à
5 bon escient.

GASTON.   Je t'en fais juge : Tu sais dans quelle position je me trouvais.   Orphelin à quinze ans, maître de ma fortune à vingt, j'avais promptement exterminé mon patrimoine et m'étais mis en devoir d'amasser un capital
10 de dettes digne du neveu de mon oncle.   Or, au moment où, grâce à mon activité, ce capital atteignait le chiffre de cinq cent mille francs, mon septuagénaire d'oncle n'épousait-il pas tout à coup une jeune personne romanesque dont il se voyait adoré?   Corvisart l'a dit, à
15 soixante - dix ans on a toujours des enfants.   J'avais compté sans mes cousins; il me fallut décompter.

LE DUC.   Tu passais à l'état de neveu honoraire.

GASTON.   Je songeai à reprendre du service actif dans le corps des gendres; c'est alors que le ciel mit M. Poi-
20 rier sur mon chemin.

LE DUC.   Où l'as-tu rencontré?

GASTON.   Il avait des fonds à placer et cherchait un emprunteur; c'était une chance de nous rencontrer : nous nous rencontrâmes.   Je ne lui offrais pas assez de garan-
25 ties pour qu'il fît de moi son débiteur; je lui en offrais assez pour qu'il fît de moi son gendre.   Je pris des renseignements sur sa moralité; je m'assurai que sa fortune venait d'une source honnête, et, ma foi, j'acceptai la main de sa fille.

30 LE DUC.   Avec quels appointements?

GASTON.   Le bonhomme avait quatre millions, il n'en a plus que trois.

  1 *George Dandin :* cf. Introduction, page 9, note 2. — **19** *corps des gendres :* cf. page 23, line 2.

LE DUC.   Un million de dot!

GASTON.   Mieux que cela : tu vas voir.   Il s'est engagé à payer mes dettes, et je crois même que c'est aujourd'hui que ce phénomène sera visible : ci, cinq cent
5 mille francs.   Il m'a remis, le jour du contrat, un coupon de rentes de vingt-cinq mille francs : ci, cinq cent
autres mille francs.

LE DUC.   Voilà le million ; après ?

GASTON.   Après ?   Il a tenu à ne pas se séparer de sa
10 fille et à nous défrayer de tout dans son hôtel ; en sorte
que, logé, nourri, chauffé, voituré, servi, il me reste vingt-
cinq mille livres de rentes pour l'entretien de ma femme
et le mien.

LE DUC.   C'est très joli.

15 GASTON.   Attends donc !

LE DUC.   Il y a encore quelque chose ?

GASTON.   Il a racheté le château de Presles, et je m'attends, d'un jour à l'autre, à trouver les titres de propriété
sous ma serviette.

20 LE DUC.   C'est un homme délicieux !

GASTON.   Attends donc !

LE DUC.   Encore ?

GASTON.   Après la signature du contrat, il est venu à
moi, il m'a pris les mains, et, avec une bonhomie tou-
25 chante, il s'est confondu en excuses de n'avoir que
soixante ans ; mais il m'a donné à entendre qu'il se dé-
pêcherait d'en avoir quatre-vingts... Au surplus, je ne
le presse pas... il n'est pas gênant, le pauvre homme.

5 *contrat :* the marriage contract, determining the rights of both
parties as to holding property and inheritance, is signed on the eve of
the wedding, in the office of a notary public, or at the bride's home,
by the bridegroom, the bride, the parents-in-law, and the other members of both parties' families. — 11 *logé ... servi :* refer of course not
to the impersonal *il* but to *me ;* the construction is psychological, not
grammatical.

Il se tient à sa place, se couche comme les poules, se
lève comme les coqs, règle les comptes, veille à l'exécution de mes moindres désirs; c'est un intendant qui ne
me vole pas; je le remplacerais difficilement.

5 LE DUC.   Décidément, tu es le plus heureux des
hommes.

GASTON.   Attends donc! Tu pourrais croire qu'aux
yeux du monde mon mariage m'a délustré, m'a décati,
comme dirait M. Poirier: rassure-toi, je suis toujours à
10 la mode; c'est moi qui donne le ton.   Les femmes m'ont
pardonné, et, enfin, comme j'avais l'honneur de te le dire,
tu ne pouvais arriver plus à propos.

LE DUC.   Pourquoi?

GASTON.   Tu ne me comprends pas, toi, mon témoin
15 naturel, mon second obligé?

LE DUC.   Un duel?

GASTON.   Oui, mon cher, un joli petit duel, comme
dans le bon temps... Eh bien! qu'en dis-tu? Est-il
mort, ce marquis de Presles, et faut-il songer à le porter
20 en terre?

LE DUC.   Avec qui te bats-tu, et à quel propos?

GASTON.   Avec le vicomte de Pontgrimaud, à propos
d'une querelle de jeu.

LE DUC.   Une querelle de jeu? alors cela peut s'ar-
25 ranger.

GASTON.   Est-ce au régiment que l'on apprend à arranger les affaires d'honneur?

LE DUC.   Tu l'as dit, c'est au régiment.   C'est là
qu'on apprend l'emploi du sang; tu ne me persuaderas
30 pas qu'il en faille pour terminer une querelle de jeu?

GASTON.   Et si cette querelle de jeu n'était qu'un prétexte? s'il y avait autre chose derrière?

LE DUC.   Une femme?

GASTON.   Voilà!

Le Duc.   Une intrigue! déjà! ce n'est pas bien.

Gaston.   Que veux-tu!...une passion de l'an dernier que je croyais morte de froid, et qui, après mon mariage, a eu son été de la Saint-Martin.   Tu vois que ce n'est ni
5 bien sérieux ni bien inquiétant.

Le Duc.   Et peut-on savoir?

Gaston.   Je n'ai pas de secrets pour toi...   C'est la comtesse de Montjay.

Le Duc.   Je t'en fais mon compliment; mais c'est
10 furieusement grave.   J'avais songé à lui faire la cour: j'ai reculé devant les périls d'une telle liaison, périls qui n'ont rien de chevaleresque.   Tu n'ignores pas que la comtesse n'a pas de fortune personnelle?

Gaston.   Qu'elle attend tout de son vieux mari, et
15 qu'il aurait le mauvais goût de la déshériter, s'il lui découvrait une faiblesse?   Je sais tout cela.

Le Duc.   Et, de gaieté de cœur, tu a repris une pareille chaîne?

Gaston.   L'habitude, un reste d'amour, l'attrait du
20 fruit défendu, le plaisir de couper l'herbe sous le pied à ce petit drôle de Pontgrimaud, que je déteste...

Le Duc.   Tu lui fais bien de l'honneur!

Gaston.   Que veux-tu! il m'agace les nerfs, ce petit monsieur, qui se croit de noblesse d'épée parce que M.
25 Grimaud, son grand-père, était fournisseur aux armées. C'est vicomte, on ne sait comment ni pourquoi, et ça veut être plus légitimiste que nous; ça se porte à tout propos champion de la noblesse, pour avoir l'air de la repré-

---

2 *Que veux-tu !* (*que voulez-vous !*). This phrase (see *vouloir*), generally accompanied by a shrug of the shoulders, makes light of some objection or excuses some fact. — 10 *furieusement :* characteristic of military language. — 15 *lui :* dative of person with verbs of perception. — 26 ff. *C'est . . ., ça . . . :* indicate contempt. — 27 *légitimiste :* cf. Introduction, page 10.

senter... Si on fait une égratignure à un Montmorency, ça crie comme si on l'écorchait lui-même... Bref,
il y avait entre nous deux une querelle dans l'air; elle
a crevé hier soir à une table de lansquenet. Il en sera
5 quitte pour un coup d'épée...ce sera le premier qu'on
aura reçu dans sa famille.

Le Duc. T'a-t-il envoyé ses témoins?

Gaston. Je les attends... Tu m'assisteras avec
Grandlieu.

10 Le Duc. C'est entendu.

Gaston. Tu t'installes chez moi, c'est entendu aussi?

Le Duc. Eh bien, soit.

Gaston. Ah çà! quoique en carnaval, tu ne comptes
pas rester déguisé en héros?

15 Le Duc. Non. J'ai écrit de là-bas à mon tailleur...

Gaston. Tiens, j'entends des voix... C'est mon
beau-père; tu vas le voir au complet, avec son ami Verdelet, son ancien associé... Parbleu!... tu as de la
chance.

SCÈNE III

LES MÊMES, POIRIER, VERDELET

20 Gaston. Bonjour, monsieur Verdelet, bonjour.

Verdelet. Votre serviteur, messieurs.

Gaston (*présentant le duc*). Un de mes bons amis,
mon cher monsieur Poirier, le duc de Montmeyran.

Le Duc. Brigadier aux chasseurs d'Afrique.

25 Verdelet (*à part*). A la bonne heure!

Poirier. Très honoré, monsieur le duc!

---

14 *en héros* refers to the duke's uniform. — 25 Verdelet is glad to
see that the duke does not share the prejudices of Gaston concerning
a useful life; cf. p. 43, line 4 ff.

GASTON. Plus honoré que vous ne pensez, cher monsieur Poirier: monsieur le duc veut bien accepter ici l'hospitalité que je me suis empressé de lui offrir.

VERDELET (*à part*). Un rat de plus dans le fromage.

5 LE DUC. Pardonnez-moi, monsieur, d'avoir accepté une invitation que mon ami Gaston m'a faite un peu étourdiment peut-être.

POIRIER. Monsieur...le marquis, mon gendre, n'a pas besoin de me consulter pour installer ses amis ici;
10 les amis de nos amis...

GASTON. Très bien, monsieur Poirier. Hector occupera le pavillon du jardin. Est-il en état?

POIRIER. J'y veillerai.

LE DUC. Je suis confus, monsieur, de l'embarras...

15 GASTON. Pas du tout! monsieur Poirier sera trop heureux...

POIRIER. Trop heureux.

GASTON. Vous aurez soin, n'est-ce pas, qu'on tienne aux ordres d'Hector le petit coupé bleu?...

20 POIRIER. Celui dont je me sers habituellement?

LE DUC. Alors je m'oppose...

POIRIER. Oh! il y a une place de fiacres au bout de la rue.

VERDELET (*à part*). Cassandre! Ganache!

---

1 *ne :* not to be translated in a clause dependent on a comparative. — 2 The continued use of Poirier's name with *monsieur*, after he has introduced him, shows Gaston's lack of respect. Concerning this, the *Lois de la galanterie* of Molière's time say : *En parlant à de telles gens* (whom one considers or would treat as his inferiors), *il ne faut jamais les appeler simplement monsieur, mais y ajouter toujours leur nom.* — 4 A proverbial expression, taken from La Fontaine's *Fables*, vii, 3. It reflects, not on the duke, but on Gaston, who by his invitation increases Poirier's expenses. — 10 Supply : *sont aussi les nôtres.* Gaston cuts off Poirier before finishing this hackneyed phrase. — 19 *bleu* refers to the color of the upholstering.

GASTON (*au duc*). Et maintenant, allons visiter mes
écuries... J'ai reçu hier un arabe dont tu me diras des
nouvelles... Viens.

LE DUC (*à Poirier*). Vous permettez, monsieur...
5 Gaston est impatient de me montrer son luxe, et je le
conçois : c'est une façon pour lui de me parler de vous.

POIRIER. Monsieur le duc comprend toutes les délicatesses de mon gendre.

GASTON (*bas, au duc*). Tu vas me gâter mon beau-
10 père. (*Fausse sortie, sur la porte.*) A propos, monsieur
Poirier, vous savez que j'ai demain un grand dîner ; est-
ce que vous nous ferez le plaisir d'être des nôtres ?

POIRIER. Non, merci... je dînerai chez Verdelet.

GASTON. Ah ! monsieur Verdelet ! je vous en veux
15 de m'enlever mon beau-père chaque fois que j'ai du
monde ici.

VERDELET (*à part*). Impertinent !

POIRIER. A mon âge, on gêne la jeunesse.

VERDELET (*à part*). Géronte, va !

20 GASTON. A votre aise, mon cher monsieur Poirier.
(*Il sort avec le duc.*)

SCÈNE IV

POIRIER, VERDELET

VERDELET. Je trouve ton gendre obséquieux avec toi.
Tu me l'avais bien dit que tu saurais te faire respecter.

POIRIER. Je fais ce qui me plaît. J'aime mieux être
25 aimé que craint.

VERDELET. Ça n'a pas toujours été ton principe. Du
reste, tu as réussi : ton gendre a pour toi des bontés

---

14 *je ... veux :* see *vouloir.*

familières qu'il ne doit pas avoir pour les autres domestiques.

POIRIER. Au lieu de faire de l'esprit, mêle-toi de tes affaires.

5 VERDELET. Je m'en mêle, parbleu! Nous sommes solidaires ici, nous ressemblons un peu aux jumeaux siamois, et, quand tu te mets à plat ventre devant ce marquis, j'ai de la peine à me tenir debout.

POIRIER. A plat ventre! Ne dirait-on pas?... ce 10 marquis!... Crois-tu donc que son titre me jette de la poudre aux yeux? J'ai toujours été plus libéral que toi, tu le sais bien, je le suis encore. Je me moque de la noblesse comme de ça! Le talent et la vertu sont les seules distinctions sociales que je reconnaisse et devant 15 lesquelles je m'incline.

VERDELET. Diable! ton gendre est donc bien vertueux?

POIRIER. Tu m'ennuies. Ne veux-tu pas que je lui fasse sentir qu'il me doit tout?

20 VERDELET. Oh! oh! il te prend sur le tard des délicatesses exquises. C'est le fruit de tes économies. Tiens, Poirier, je n'ai jamais approuvé ce mariage, tu le sais; j'aurais voulu que ma chère filleule épousât un brave garçon de notre bord; mais puisque tu ne m'as 25 pas écouté...

POIRIER. Ah! ah! écouter monsieur! il ne manquerait plus que cela!

VERDELET. Pourquoi donc pas?

POIRIER. Oh! monsieur Verdelet! vous êtes un 30 homme de bel esprit et de beaux sentiments; vous avez

---

1 *doit:* on this use of *devoir*, see Voc. — 11 *libéral :* i.e., in politics. — 13 *comme de ça*, accompanied by a vigorous snapping of the finger. — 14 *reconnaisse :* cf. page 23, line 5. — 20 *il ... exquises :* see *délicatesse.*— 29 (and 14, next page): notice change of pronouns of address.

lu des livres amusants; vous avez sur toutes choses des opinions particulières; mais en matière de sens commun, je vous rendrais des points.

VERDELET. En matière de sens commun...tu veux
5 dire en matière commerciale. Je ne conteste pas: tu as gagné quatre millions tandis que j'amassais à peine quarante mille livres de rentes.

POIRIER. Et encore, grâce à moi.

VERDELET. D'accord! Cette fortune me vient par
10 toi, elle retournera à ta fille, quand ton gendre t'aura ruiné.

POIRIER. Quand mon gendre m'aura ruiné?

VERDELET. Oui, dans une dizaine d'années.

POIRIER. Tu es fou!

15 VERDELET. Au train dont il y va, tu sais trop bien compter pour ne pas voir que cela ne peut pas durer longtemps.

POIRIER. Bien, bien, c'est mon affaire.

VERDELET. S'il ne s'agissait que de toi, je ne souf-
20 flerais mot.

POIRIER. Et pourquoi ne souffleriez-vous mot? vous ne me portez donc aucun intérêt? cela vous est égal qu'on me ruine, moi qui ai fait votre fortune!

VERDELET. Qu'est-ce qui te prend?

25 POIRIER. Je n'aime pas les ingrats!

VERDELET. Diantre! tu te rattrapes sur moi des familiarités de ton gendre. Je te disais donc que, s'il ne s'agissait que de toi, je prendrais ton mal en patience, n'étant pas ton parrain; mais je suis celui de ta fille.

30 POIRIER. Et j'ai fait un beau pas de clerc en vous donnant ce droit sur elle.

12 This form of dialogue, repeating the preceding speaker's last words (*dialogue en écho*), has been very popular since the seventeenth century.

VERDELET.   Ma foi! tu pouvais lui choisir un parrain
qui l'aurait moins aimée!

POIRIER.   Oui, je sais...vous l'aimez plus que je ne
fais moi-même... C'est votre prétention...et vous le
5 lui avez persuadé, à elle.

VERDELET.   Nous retombons dans cette litanie? Va
ton train!

POIRIER.   Oui, j'irai mon train. Croyez-vous qu'il
me soit agréable de me voir expulsé, par un étranger,
10 du cœur de mon enfant?

VERDELET.   Elle a pour toi toute l'affection...

POIRIER.   Ce n'est pas vrai, tu me supplantes! elle
n'a de confiance et de câlineries que pour toi.

VERDELET.   C'est que je ne lui fais pas peur, moi.
15 Comment veux-tu que cette petite ait de l'épanchement
pour un hérisson comme toi? Elle ne sait par où te
dorloter, tu es toujours en boule.

POIRIER.   C'est toi qui m'as réduit au rôle de père
rabat-joie, en prenant celui de papa-gâteau. Ça n'est
20 pas bien malin de se faire aimer des enfants quand on
obéit à toutes leurs fantaisies, sans se soucier de leurs
véritables intérêts. C'est les aimer pour soi, et non pour
eux.

VERDELET.   Doucement, Poirier; quand les vrais in-
25 térêts de ta fille ont été en jeu, ses fantaisies n'ont rencontré de résistance que chez moi. Je l'ai assez con-
trariée, la pauvre Toinon, à l'occasion de son mariage,
tandis que tu l'y poussais bêtement.

POIRIER.   Elle aimait le marquis. Laissez-moi lire mon
30 journal. (*Il s'assied et parcourt le Constitutionnel.*)

VERDELET.   Tu as beau dire que l'enfant avait le cœur

3 *ne* : cf. page 31, line 1. — 27 *la pauvre Toinon* : a proper noun
preceded by an adjective must be accompanied by the article. — 31
beau dire : see *beau*.

pris, c'est toi qui le lui as fait prendre.   Tu as attiré
M. de Presles chez toi.

POIRIER (*se levant*).   Encore un d'arrivé! M. Michaud,
le propriétaire de forges, est nommé pair de France.

5   VERDELET.   Qu'est-ce que ça me fait?

POIRIER.   Comment, ce que ça te fait? Il t'est indifférent de voir un des nôtres parvenir, de voir que le
gouvernement honore l'industrie en appelant à lui ses
représentants! N'est-ce pas admirable, un pays et un
10 temps où le travail ouvre toutes les portes? Tu peux
aspirer à la pairie, et tu demandes ce que cela te
fait?

VERDELET.   Dieu me garde d'aspirer à la pairie! Dieu
garde surtout mon pays que j'y arrive!

15   POIRIER.   Pourquoi donc? M. Michaud y est bien!

VERDELET.   M. Michaud n'est pas seulement un industriel, c'est un homme du premier mérite. Le père
de Molière était tapissier: ce n'est pas une raison pour
que tous les fils de tapissier se croient poètes.

20   POIRIER.   Je te dis, moi, que le commerce est la véritable école des hommes d'État. Qui mettra la main au
gouvernail, sinon ceux qui ont prouvé qu'ils savaient
mener leur barque!

VERDELET.   Une barque n'est pas un vaisseau, un ba-
25 telier n'est pas un pilote, et la France n'est pas une maison de commerce. J'enrage quand je vois cette manie
qui s'empare de toutes les cervelles! On dirait, ma parole, que dans ce pays-ci le gouvernement est le passe-
temps naturel des gens qui n'ont plus rien à faire...
30 Un bonhomme comme toi et moi s'occupe pendant trente
ans de sa petite besogne; il y arrondit sa pelote, et un
beau jour il ferme boutique et s'établit homme d'État...
Ce n'est pas plus difficile que cela! il n'y a pas d'autre
recette! Morbleu, messieurs, que ne vous dites-vous

aussi bien: « J'ai tant auné de drap que je dois savoir jouer du violon.»

POIRIER. Je ne saisis pas le rapport...

VERDELET. Au lieu de songer à gouverner la France, 5 gouvernez votre maison. Ne mariez pas vos filles à des marquis ruinés qui croient vous faire honneur en payant leurs dettes avec vos écus...

POIRIER. Est-ce pour moi que tu dis cela?

VERDELET. Non, c'est pour moi.

SCÈNE V

LES MÊMES, ANTOINETTE

10 ANTOINETTE. Bonjour, mon père; comment allez-vous? Bonjour, parrain. Tu viens déjeuner avec nous? tu es bien gentil!

POIRIER. Il est gentil!... Qu'est-ce que je suis donc alors, moi qui l'ai invité?

15 ANTOINETTE. Vous êtes charmant!

POIRIER. Je ne suis charmant que quand j'invite Verdelet. C'est agréable pour moi!

ANTOINETTE. Où est mon mari?

POIRIER. A l'écurie. Où veux-tu qu'il soit?

20 ANTOINETTE. Est-ce que vous blâmez son goût pour les chevaux?... Il sied bien à un gentilhomme d'aimer les chevaux et les armes.

POIRIER. Soit; mais je voudrais qu'il aimât autre chose.

---

1 *J'ai ... violon :* this is now a classical quotation. — 10 ff. Antoinette addresses her father by *vous*, her godfather by *toi*. The intimate friendship thus indicated between godfather and godchild is still to be found in large portions of the European continent. — 23 *Soit :* see *être*.

ANTOINETTE. Il aime les arts, la peinture, la poésie, la musique.

POIRIER. Peuh! ce sont des arts d'agrément.

VERDELET. Tu voudrais qu'il aimât des arts de désa-
5 grément peut-être; qu'il jouât du piano?

POIRIER. C'est cela; prends son parti devant Toinon, pour te faire aimer d'elle. (*A Antoinette.*) Il me disait encore tout à l'heure que ton mari me ruine... Le di-sais-tu?

10 VERDELET. Oui, mais tu n'as qu'à serrer les cordons de ta bourse.

POIRIER. Il est beaucoup plus simple que ce jeune homme s'occupe.

VERDELET. Il me semble qu'il s'occupe beaucoup.

15 POIRIER. Oui, à dépenser de l'argent du matin au soir. Je lui voudrais une occupation plus lucrative.

ANTOINETTE. Laquelle?... Il ne peut pourtant pas vendre du drap ou de la flanelle.

POIRIER. Il en est incapable. On ne lui demande pas
20 tant de choses: qu'il prenne tout simplement une posi-tion conforme à son rang; une ambassade, par exemple.

VERDELET. Prendre une ambassade! Ça ne se prend pas comme un rhume.

POIRIER. Quand on s'appelle le marquis de Presles,
25 on peut prétendre à tout.

ANTOINETTE. Mais on est obligé de ne prétendre à rien, mon père.

VERDELET. C'est vrai: ton gendre a des opinions...

POIRIER. Il n'en a qu'une, c'est la paresse.

30 ANTOINETTE. Vous êtes injuste, mon père, mon mari a ses convictions. (*Elle va à la fenêtre.*)

VERDELET. A défaut de conviction, il a l'entêtement

---

3 ff. Poirier contrasts in his mind fine arts with useful arts; Ver-delet plays on the distinction between agreeable and disagreeable.

chevaleresque de son parti. Crois-tu que ton gendre
renoncera aux traditions de sa famille, pour le seul plaisir de renoncer à sa paresse?

POIRIER (*à demi-voix*). Tu ne connais pas mon gen-
5 dre, Verdelet; moi, je l'ai étudié à fond, avant de lui
donner ma fille. C'est un étourneau; la légèreté de son
caractère le met à l'abri de toute espèce d'entêtement.
Quant à ses traditions de famille, s'il y tenait beaucoup,
il n'eût pas épousé mademoiselle Poirier.

10 VERDELET. C'est égal, il eût été prudent de le sonder
à ce sujet avant le mariage.

POIRIER. Que tu es bête! j'aurais eu l'air de lui proposer un marché; il aurait refusé tout net. On n'ob-
tient de pareilles concessions que par les bons procédés,
15 par une obsession lente et insensible... Depuis trois
mois il est ici comme un coq en pâte.

VERDELET. Je comprends: tu as voulu graisser la
girouette avant de souffler dessus.

POIRIER. Tu l'as dit, Verdelet. (*A Antoinette.*) On
20 est bien faible pour sa femme, pendant la lune de miel.
Si tu lui demandais ça gentiment...le soir...tout en
déroulant tes cheveux...

ANTOINETTE. Oh! mon père!

POIRIER. Dame! c'est comme cela que madame Poi-
25 rier m'a demandé de la mener à l'Opéra, et je l'y ai
menée le lendemain... Tu vois!

ANTOINETTE. Je n'oserai jamais parler à mon mari
d'une chose si grave.

POIRIER. Ta dot peut cependant bien te donner voix
30 au chapitre.

ANTOINETTE. Il lèverait les épaules, il ne me répon-
drait pas.

10 f. Cf. Introduction, page 13, note. — 31 A very frequent ges-
ture among the French.

VERDELET.   Il lève les épaules quand tu lui parles?

ANTOINETTE.   Non, mais...

VERDELET.   Oh! oh! tu baisses les yeux... Il paraît que ton mari te traite un peu légèrement.   C'est ce que
5 j'ai toujours craint.

POIRIER.   Est-ce que tu as à te plaindre de lui?

ANTOINETTE.   Non, mon père.

POIRIER.   Est-ce qu'il ne t'aime pas?

ANTOINETTE.   Je ne dis pas cela.

10 POIRIER.   Qu'est-ce que tu dis, alors?

ANTOINETTE.   Rien.

VERDELET.   Voyons, ma fille, explique-toi franchement avec tes vieux amis.   Nous ne sommes créés et mis au monde que pour veiller sur ton bonheur; à qui
15 te confieras-tu, si tu te caches de ton père et de ton parrain?   Tu as du chagrin.

ANTOINETTE.   Je n'ai pas le droit d'en avoir...mon mari est très doux et très bon.

POIRIER.   Eh bien, alors?

20 VERDELET.   Est-ce que cela suffit?   Il est doux et bon, mais il ne fait guère plus attention à toi qu'à une jolie poupée, n'est-ce pas?

ANTOINETTE.   C'est ma faute.   Je suis timide avec lui; je n'ose lui ouvrir ni mon esprit ni mon cœur.   Je
25 suis sûre qu'il me prend pour une pensionnaire qui a voulu être marquise.

POIRIER.   Cet imbécile!

VERDELET.   Que ne t'expliques-tu à lui?

ANTOINETTE.   J'ai essayé plusieurs fois; mais le ton
30 de sa première réponse était toujours en tel désaccord avec ma pensée que je n'osais plus continuer.   Il y a des confidences qui veulent être encouragées; l'âme a sa pudeur...   Tu dois comprendre cela, mon bon Tony?

33 *dois :* see *devoir.*

POIRIER. Eh bien! et moi, est-ce que je ne le comprends pas?

ANTOINETTE. Vous aussi, mon père. Comment dire à Gaston que ce n'est pas son titre qui m'a plu, mais la
5 grâce de ses manières et de son esprit, son humeur chevaleresque, son dédain des mesquineries de la vie? comment lui dire enfin qu'il est l'homme de mes rêveries, si, au premier mot, il m'arrête par une plaisanterie?

POIRIER. S'il plaisante, c'est qu'il est gai, ce garçon.

10 VERDELET. Non, c'est que sa femme l'ennuie.

POIRIER (à Antoinette). Tu ennuies ton mari?

ANTOINETTE. Hélas! j'en ai peur!

POIRIER. Parbleu! ce n'est pas toi qui l'ennuies, c'est son oisiveté. Un mari n'aime pas longtemps sa femme
15 quand il n'a pas autre chose à faire que de l'aimer.

ANTOINETTE. Est-ce vrai, Tony?

POIRIER. Puisque je te le dis, tu n'as pas besoin de consulter Verdelet.

VERDELET. Je crois, en effet, que la passion s'épuise
20 vite et qu'il faut l'administrer comme la fortune, avec économie.

POIRIER. Un homme a des besoins d'activité qui veulent être satisfaits à tout prix et qui s'égarent quand on leur barre le chemin.

25 VERDELET. Une femme doit être la préoccupation et non l'occupation de son mari.

POIRIER. Pourquoi ai-je toujours adoré ta mère? c'est que je n'avais jamais le temps de penser à elle.

VERDELET. Ton mari a vingt-quatre heures par jour
30 pour t'aimer...

POIRIER. C'est trop de douze.

ANTOINETTE. Vous m'ouvrez les yeux.

---

19 ff. Cf. the old adage: " Love me little, love me long."

POIRIER. Qu'il prenne un emploi et les choses rentre-
ront dans l'ordre.

ANTOINETTE. Qu'en dis-tu, Tony?

VERDELET. C'est possible! La difficulté est de le
5 faire consentir.

POIRIER. J'attacherai le grelot. Soutenez-moi tous les
deux.

VERDELET. Est-ce que tu comptes aborder la question
tout de suite?

10 POIRIER. Non, après déjeuner. J'ai observé que monsieur le marquis a la digestion gaie.

SCÈNE VI

LES MÊMES, GASTON, LE DUC

GASTON (*présentant le duc à sa femme*). Ma chère
Antoinette, monsieur de Montmeyran; ce n'est pas un
inconnu pour vous.

15 ANTOINETTE. En effet, monsieur, Gaston m'a tant de
fois parlé de vous, que je crois tendre la main à un ancien ami.

LE DUC. Vous ne vous trompez pas, madame; vous
me faites comprendre qu'un instant peut suffire pour im-
20 proviser une vieille amitié. (*Bas, au marquis.*) Elle est
charmante, ta femme.

GASTON (*bas, au duc*). Oui, elle est gentille. (*A Antoinette.*) J'ai une bonne nouvelle à vous annoncer, ma
chère: Hector veut bien demeurer avec nous pendant
25 tout son congé.

6 An expression taken from La Fontaine's *Fables*, II, 2, where the
rats decide to bell the cat. The point of comparison here is the
danger and difficulty of the procedure.

ANTOINETTE. Que c'est aimable à vous, monsieur!
J'espère que votre congé est long?

LE DUC. Un mois, et je retourne en Afrique.

VERDELET. Vous donnez là un noble exemple, monsieur le duc; c'est bien à vous de n'avoir pas considéré
l'oisiveté comme un héritage de famille.

GASTON (*à part*). Une pierre dans mon jardin! Il
finira par le paver, ce bon monsieur Verdelet. (*Entre
un domestique apportant un tableau.*)

LE DOMESTIQUE. On vient d'apporter ce tableau pour
monsieur le marquis.

GASTON. Mettez - le sur cette chaise, près de la fenêtre...là! c'est bien! (*Le domestique sort.*) Viens
voir cela, Montmeyran.

LE DUC. C'est charmant! le joli effet de soir! Ne
trouvez-vous pas, madame?

ANTOINETTE. Oui, charmant!... et comme c'est
vrai!... que tout cela est calme, recueilli! On aimerait
à se promener dans ce paysage silencieux.

POIRIER (*à Verdelet, lui montrant le journal*). Pair
de France!

GASTON. Regarde donc cette bande de lumière verte,
qui court entre les tons orangés de l'horizon et de bleu
froid du reste du ciel! comme c'est rendu!

LE DUC. Et le premier plan!... quelle pâte, quelle
solidité!

GASTON. Et le miroitement presque imperceptible de
cette flaque d'eau sous le feuillage...est-ce joli!

POIRIER. Voyons ça, Verdelet... (*S'approchant tous
deux.*) Eh bien! qu'est-ce que ça représente?

VERDELET. Parbleu! ça représente neuf heures du
soir, en été, dans les champs.

7 f. *Une pierre ... paver :* see *jardin.* — 20 Poirier's remark is all
the more comical as it is not meant as part of the conversation.

POIRIER. Ça n'est pas intéressant, ce sujet-là, ça ne dit rien! J'ai dans ma chambre une gravure qui représente un chien au bord de la mer, aboyant devant un chapeau de matelot...à la bonne heure! ça se comprend, 5 c'est ingénieux, c'est simple et touchant.

GASTON. Eh bien, monsieur Poirier...puisque vous aimez les tableaux touchants, je vous en ferai faire un d'après un sujet que j'ai pris moi-même sur nature. Il y avait sur une table un petit oignon coupé en quatre, 10 un pauvre petit oignon blanc! le couteau était à côté... Ce n'était rien et ça tirait les larmes des yeux.

VERDELET (*bas, à Poirier*). Il se moque de toi.

POIRIER (*bas, à Verdelet*). Laisse-le faire.

LE DUC. De qui est ce paysage?

15 GASTON. D'un pauvre diable plein de talent, qui n'a pas le sou.

POIRIER. Et combien avez-vous payé ça?

GASTON. Cinquante louis.

POIRIER. Cinquante louis! le tableau d'un inconnu 20 qui meurt de faim! A l'heure du dîner, vous l'auriez eu pour vingt-cinq francs.

ANTOINETTE. Oh! mon père!

POIRIER. Voilà une générosité bien placée!

GASTON. Comment, monsieur Poirier! trouveriez-25 vous mauvais qu'on protège les arts?

POIRIER. Qu'on protège les arts, bien! mais les artistes, non...ce sont tous des fainéants et des débauchés. On raconte d'eux des choses qui donnent la chair de poule et que je ne me permettrais pas de répéter devant ma 30 fille.

VERDELET (*bas, à Poirier*). Quoi donc?

2 Probably an imaginary picture. Poirier's æsthetic views such as voiced here are by no means entirely unsound and show at least that he has thought of such things.

POIRIER (*bas*). On dit, mon cher... (*Il le prend à part et lui parle dans le tuyau de l'oreille.*)

VERDELET. Tu crois ces choses-là, toi?

POIRIER. Je l'ai entendu dire à des gens qui le sa-
5 vaient.

UN DOMESTIQUE (*entrant*). Madame la marquise est servie.

POIRIER (*au domestique*). Vous monterez une fiole de mon Pomard de 1811... (*au duc*) année de la co-
10 mète...monsieur le duc!... quinze francs la bouteille! Le roi n'en boit pas de meilleur. (*Bas, à Verdelet.*) Tu n'en boiras pas...ni moi non plus.

GASTON (*au duc*). Quinze francs la bouteille, en rendant le verre, mon bon.

15 VERDELET (*bas, à Poirier*). Il se moque toujours de toi, et tu le souffres?

POIRIER (*bas*). Il faut être coulant en affaires. (*Ils sortent.*)

6 The usual announcement of the servant that dinner is ready. —
9 According to a common superstition in all wine-producing countries of the Old World, the wine of the year of a comet is particularly excellent. In 1811, this happened to be true. Poirier naturally supposes the duke to be familiar with the belief and to be a good connoisseur of wine. — 13 Bottles are returned only in case of inferior sorts of wine. Gaston's remark is pure mockery.

ACTE DEUXIÈME

Même décor.

SCÈNE I

GASTON, LE DUC, ANTOINETTE, VERDELET, POIRIER

(*On sort de la salle à manger.*)

GASTON. Eh bien, Hector, qu'en dis-tu? Voilà la maison! c'est ainsi tous les jours que Dieu fait. Crois-tu qu'il y ait au monde un homme plus heureux que moi?

LE DUC. Ma foi! j'avoue que je te porte envie, tu
5 me réconcilies avec le mariage.

ANTOINETTE (*bas, à Verdelet*). Quel charmant jeune homme, que M. de Montmeyran!

VERDELET (*bas*). Il me plaît beaucoup.

GASTON (*à Poirier, qui entre le dernier*). Monsieur
10 Poirier, il faut que je vous le dise une bonne fois, vous êtes un homme excellent, croyez bien que vous n'avez pas affaire à un ingrat.

POIRIER. Oh! monsieur le marquis!

GASTON. Appelez-moi Gaston, que diable! Et vous,
15 mon cher monsieur Verdelet, savez-vous bien que j'ai plaisir à vous voir?

ANTOINETTE. Il est de la famille, mon ami.

GASTON. Touchez donc là, mon oncle!

VERDELET (*lui donnant la main, à part*). Il n'est pas
20 méchant.

1 *Voilà la maison* : see *maison*.

GASTON.   Conviens, Hector, que j'ai eu de la chance!
Tenez, monsieur Poirier, j'ai un poids sur la conscience.
Vous ne songez qu'à faire de ma vie une fête de tous les
instants; ne m'offrirez-vous jamais une occasion de m'ac-
5 quitter? Tâchez donc une fois de désirer quelque chose
qui soit en mon pouvoir.

POIRIER.   Eh bien, puisque vous êtes en si bonnes dis-
positions, accordez-moi un quart d'heure d'entretien; je
veux avoir avec vous une conversation sérieuse.

10 LE DUC.   Je me retire.

POIRIER.   Au contraire, monsieur, faites-nous l'amitié
de rester. Nous allons tenir en quelque sorte un conseil de famille; vous n'êtes pas de trop, non plus que
Verdelet.

15 GASTON.   Diantre, cher beau-père, un conseil de famille! voudriez-vous me faire interdire, par hasard?

POIRIER.   Dieu m'en garde, mon cher Gaston! As-
seyons-nous. (*On s'assied en cercle autour de la cheminée
à gauche de la scène.*)

20 GASTON.   La parole est à monsieur Poirier.

POIRIER.   Vous êtes heureux, mon cher Gaston, vous
le dites, et c'est ma plus douce récompense.

GASTON.   Je ne demande qu'à doubler la gratification.

POIRIER.   Mais voilà trois mois donnés aux douceurs
25 de la lune de miel, la part du roman me semble suffi-
sante, et je crois l'instant venu de penser à l'histoire.

GASTON.   Palsambleu! vous parlez comme un livre;
pensons à l'histoire, je le veux bien.

POIRIER.   Que comptez-vous faire?

30 GASTON.   Aujourd'hui?

POIRIER.   Et demain, et à l'avenir...vous devez avoir
une idée.

GASTON.   Sans doute, mon plan est arrêté: je compte
faire aujourd'hui ce que j'ai fait hier, et demain ce que

j'aurai fait aujourd'hui... Je ne suis pas un esprit versatile malgré mon air léger, et, pourvu que l'avenir ressemble au présent, je me tiens satisfait.

POIRIER. Vous êtes cependant trop raisonnable pour
5 croire à l'éternité de la lune de miel.

GASTON. Trop raisonnable, vous l'avez dit, et trop
ferré sur l'astronomie... Mais vous n'êtes pas sans
avoir lu Henri Heine?

POIRIER. Tu dois avoir lu ça, Verdelet?

10 VERDELET. Je l'ai lu, j'en conviens.

POIRIER. Cet être-là a passé sa vie à faire l'école buis-
sonnière.

GASTON. Eh bien! Henri Heine, interrogé sur le sort
des vieilles pleines lunes, répond qu'on les casse pour en
15 faire des étoiles.

POIRIER. Je ne saisis pas...

GASTON. Quand notre lune de miel sera vieille, nous
la casserons, et il y aura de quoi faire toute une voie
lactée.

20 POIRIER. L'idée est sans doute fort gracieuse.

LE DUC. Elle n'a de mérite que son extrême simplicité.

POIRIER. Mais sérieusement, mon gendre, la vie un
peu oisive que vous menez ne vous semble-t-elle pas fu-
25 neste au bonheur d'un jeune ménage?

GASTON. Nullement.

VERDELET. Un homme de votre valeur ne peut pas se
condamner au désœuvrement à perpétuité.

GASTON. Avec de la résignation...

---

8 *vous ... lu :* see *sans.* — 9 *dois :* see *devoir.* — 11 Poirier implies
that Verdelet, instead of attending to business, has wasted his time by
reading, etc. — 14 Cf. Heine, *Reisebilder*, *Italien*, III, *Stadt Lucca*, XIII:
"The Lord smashes the old full moons to bits with his sugar hammer
and makes little stars of them." — 18 *il y aura*, etc.: see *quoi.*

ANTOINETTE.   Ne craignez-vous pas, mon ami, que l'ennui ne vous gagne?

GASTON.   Vous vous calomniez, ma chère.

ANTOINETTE.   Je n'ai pas la vanité de croire que je 5 puisse remplir votre existence toute entière, et, je vous l'avoue, je serais heureuse de vous voir suivre l'exemple de monsieur de Montmeyran.

GASTON (*se levant en s'adossant à la cheminée*).   Me conseillez-vous de m'engager, par hasard?

10   ANTOINETTE.   Non, certes.

GASTON.   Mais pourquoi donc, alors?

POIRIER.   Nous voudrions vous voir prendre une position digne de votre nom.

GASTON.   Il n'y a que trois positions que mon nom me 15 permette : soldat, évêque ou laboureur.   Choisissez.

POIRIER.   Nous nous devons tous à la France : la France est notre mère.

VERDELET.   Je comprends le chagrin d'un fils qui voit sa mère se remarier ; je comprends qu'il n'assiste pas à 20 la noce ; mais, s'il a du cœur, il ne boudera pas sa mère ; et, si le second mari la rend heureuse, il lui tendra bientôt la main.

POIRIER.   L'abstention de la noblesse ne peut durer éternellement ; elle commence elle-même à le reconnaître, 25 et déjà plus d'un grand nom a donné l'exemple : M. de Valchevrière, M. de Chazerolle, M. de Mont-Louis...

GASTON.   Ces messieurs ont fait ce qu'il leur a convenu de faire ; je ne les juge pas, mais il ne m'est pas permis de les imiter.

30   ANTOINETTE.   Pourquoi donc, mon ami?

GASTON.   Demandez à Montmeyran.

VERDELET.   L'uniforme de M. le duc répond pour lui.

---

18 ff. Verdelet's speech continues Poirier's remark. It is an easily intelligible allegory. *Le second mari* is Louis-Philippe.

LE DUC.   Permettez, monsieur : le soldat n'a qu'une opinion, le devoir ; qu'un adversaire, l'ennemi.

POIRIER.   Cependant, monsieur, on pourrait vous répondre...

5 GASTON.   Brisons là, monsieur Poirier ; il n'est pas question ici de politique.   Les opinions se discutent, les sentiments ne se discutent pas.   Je suis lié par la reconnaissance : ma fidélité est celle d'un serviteur et d'un ami...   Plus un mot là-dessus.   (*Au duc.*) Je te de-
10 mande pardon, mon cher ; c'est la première fois qu'on parle politique ici, je te promets que ce sera la dernière.

LE DUC (*bas, à Antoinette*).   On vous a fait faire une maladresse, madame.

ANTOINETTE.   Ah! monsieur, je le sens trop tard!

15 VERDELET (*bas, à Poirier*).   Te voilà dans de beaux draps !

POIRIER (*bas*).   Le premier assaut a été repoussé, mais je ne lève pas le siège.

GASTON.   Sans rancune, monsieur Poirier ; je me suis
20 exprimé un peu vertement, mais j'ai l'épiderme délicat à cet endroit, et, sans le vouloir, j'en suis certain, vous m'aviez égratigné.   Je ne vous en veux pas, touchez là.

POIRIER.   Vous êtes trop bon.

UN DOMESTIQUE.   Il y a, dans le petit salon, des gens
25 qui prétendent avoir rendez-vous avec monsieur Poirier.

POIRIER.   Très bien, priez-les de m'attendre un instant, je suis à eux.   (*Le domestique sort.*)   Vos créanciers, mon gendre.

GASTON.   Les vôtres, cher beau-père, je vous les ai
30 donnés.

LE DUC.   En cadeau de noces.

VERDELET.   Adieu, monsieur le marquis.

24 In large residences, there is usually a *petit salon* adjoining the *grand salon* or reception room proper.

GASTON.   Vous nous quittez déjà!

VERDELET.   Le mot est aimable. Antoinette m'a donné une petite commission.

POIRIER.   Tiens! laquelle?

5   VERDELET.   C'est un secret entre elle et moi.

GASTON.   Savez-vous bien que si j'étais jaloux...

ANTOINETTE.   Mais vous ne l'êtes pas.

GASTON.   Est-ce un reproche? Eh bien, je veux être jaloux.   Monsieur Verdelet, au nom de la loi, je vous
10 enjoins de me dévoiler ce mystère.

VERDELET.   A vous moins qu'à personne.

GASTON.   Et pourquoi, s'il vous plaît?

VERDELET.   Vous êtes la main droite d'Antoinette, et la main droite doit ignorer...

15   GASTON.   Ce que donne la main gauche. Vous avez raison, j'ai été indiscret, et je me mets à l'amende. (*Donnant sa bourse à Antoinette.*) Joignez mon offrande à la vôtre, ma chère enfant.

ANTOINETTE.   Merci pour mes pauvres.

20   POIRIER (*à part*).   Comme il y va!

LE DUC.   Me permettez-vous, madame, de vous voler aussi un peu de bénédictions? (*Lui donnant sa bourse.*) Elle est bien légère, mais c'est l'obole du brigadier.

ANTOINETTE.   Offerte par le cœur d'un duc.

25   POIRIER (*à part*).   Ça n'a pas le sou, et ça fait l'aumône!

VERDELET.   Et toi, Poirier, n'ajouteras-tu rien à ma récolte?

POIRIER.   Moi, j'ai donné mille francs au bureau de
30 bienfaisance.

---

14 Cf. St. Matthew, vi, 3 : " When thou doest alms let not thy left hand know what thy right hand doeth." Here left and right change places. — 20 *Comme . . . va !* see *aller.* — 23 Cf. the widow's mite, St. Mark, xii, 42. — 25 *ça :* cf. page 29, line 26.

VERDELET. A la bonne heure. Adieu, messieurs. Votre charité ne figurera pas sur les listes du bureau, mais elle n'en est pas plus mauvaise. (*Il sort avec Antoinette.*)

SCÈNE II

LES MÊMES *moins* VERDELET *et* ANTOINETTE

5   POIRIER. A bientôt, monsieur le marquis; je vais payer vos créanciers.

GASTON. Ah ça! monsieur Poirier, parce que ces gens-là m'ont prêté de l'argent, ne vous croyez pas tenu d'être poli avec eux. — Ce sont d'abominables coquins…
10 Tu as dû les connaître, Hector? le père Salomon, monsieur Chevassus, monsieur Cogne.

LE DUC. Si je les ai connus!… Ce sont les premiers arabes auxquels je me sois frotté. Ils me prêtaient à cinquante pour cent, au denier dèux, comme disaient
15 nos pères.

POIRIER. Quel brigandage! Et vous aviez la sottise… Pardon, monsieur le duc…pardon!

LE DUC. Que voulez-vous! Dix mille francs au denier deux font encore plus d'usage que rien du tout à
20 cinq pour cent.

POIRIER. Mais, monsieur, il y a des lois contre l'usure.

LE DUC. Les usuriers les respectent et les observent, ils ne prennent que l'intérêt légal; seulement on leur fait
25 un billet et on ne touche que moitié en espèces.

POIRIER. Et le reste?

2 The regular benevolent associations publish the donors' names in the newspapers. — 10 *Tu . . . connaître:* see *devoir,* — 13 *sois;* cf. page 23, line 5. — 18 Cf. page 29, line 2.

LE DUC.   On le touche en lézards empaillés, comme du temps de Molière...car les usuriers ne progressent plus, sans doute, pour avoir atteint la perfection tout d'abord.

5 GASTON.   Comme les Chinois.

POIRIER.   J'aime à croire, mon gendre, que vous n'avez pas emprunté à ce taux.

GASTON.   J'aimerais à le croire aussi, beau-père.

POIRIER.   A cinquante pour cent !

10 GASTON.   Ni plus ni moins.

POIRIER.   Et vous avez touché des lézards empaillés ?

GASTON.   Beaucoup.

POIRIER.   Que ne m'avez-vous dit cela plus tôt ? Avant votre mariage, j'aurais obtenu une transaction.

15 GASTON.   C'est justement ce que je ne voulais pas. Il ferait beau voir que le marquis de Presles rachetât sa parole au rabais, et fît lui-même cette insulte à son nom.

POIRIER.   Cependant, si vous ne devez que moitié...

20 GASTON.   Je n'ai reçu que moitié, mais je dois le tout ; ce n'est pas à ces voleurs que je le dois, c'est à ma signature.

POIRIER.   Permettez, monsieur le marquis, je me crois honnête homme ; je n'ai jamais fait tort d'un sou à per-
25 sonne, et je suis incapable de vous donner un conseil in-délicat ; mais il me semble qu'en remboursant ces drôles de leurs déboursés réels, et en y ajoutant les intérêts composés à six pour cent, vous auriez satisfait à la plus scrupuleuse probité.

---

1 In Molière's *L'Avare*, act II, scene I, a borrower is to get 12,000 francs in cash and has to accept a number of "valuables" at the price of 3,000 francs, among them "*une peau d'un lézard de trois pieds et demi, remplie de foin, curiosité agréable pour pendre au plancher d'une chambre.*"

GASTON.   Il ne s'agit pas ici de probité, c'est une question d'honneur.

POIRIER.   Quelle différence faites-vous donc entre les deux?

5   GASTON.   L'honneur est la probité du gentilhomme.

POIRIER.   Ainsi, nos vertus changent de nom quand vous voulez bien les pratiquer? Vous les décrassez pour vous en servir? Je m'étonne d'une chose, c'est que le nez d'un noble daigne s'appeler comme le nez d'un bour-
10 geois.

GASTON.   C'est que tous les nez sont égaux.

LE DUC.   A six pouces près.

POIRIER.   Croyez-vous donc que les hommes ne le soient pas?

15   GASTON.   La question est grave.

POIRIER.   Elle est résolue depuis longtemps, monsieur le marquis.

LE DUC.   Nos droits sont abolis, mais non pas nos devoirs. De tous nos privilèges il ne nous reste que
20 deux mots, mais deux mots que nulle main humaine ne peut rayer: *Noblesse oblige.* Et quoi qu'il arrive, nous resterons toujours soumis à un code plus sévère que la loi, à ce code mystérieux que nous appelons l'honneur.

25   POIRIER.   Eh bien, monsieur le marquis, il est heureux pour votre honneur que ma probité paie vos dettes. Seulement, comme je ne suis pas gentilhomme, je vous préviens que je vais tâcher de m'en tirer au meilleur marché possible.

30   GASTON.   Ah! vous serez bien fin, si vous faites lâcher prise à ces bandits: ils sont maîtres de la situation.

POIRIER.   Nous verrons, nous verrons. (*A part.*) J'ai mon idée, je vais leur jouer une petite comédie de ma

12 See *près.* — 21 See *noblesse.*

façon. (*Haut.*) Je ne veux pas les irriter en les faisant attendre plus longtemps.

Le Duc. Non, diable! ils vous dévoreraient. (*Poirier sort.*)

SCÈNE III

GASTON, LE DUC, *puis* ANTOINETTE

5 Gaston. Pauvre monsieur Poirier! j'en suis fâché pour lui... cette révélation lui gâte tout le plaisir qu'il se faisait de payer mes dettes.

Le Duc. Écoute donc: ils sont rares les gens qui savent se laisser voler. C'est un art de grand seigneur.

10 Un Domestique. Messieurs de Ligny et de Chazerolle demandent à parler à monsieur le marquis de la part de monsieur de Pontgrimaud.

Gaston. C'est bien. (*Le domestique sort.*) Va recevoir ces messieurs, Hector. Tu n'as pas besoin de moi 15 pour arranger la partie.

Antoinette (*entrant*). Une partie?

Gaston. Oui, j'ai gagné une grosse somme à Pontgrimaud et je lui ai promis sa revanche. (*A Hector.*) Que ce soit demain, dans l'après-midi.

20 Le Duc (*bas, à Gaston*). Quand te reverrai-je?

Gaston (*de même*). Madame de Montjay m'attend à trois heures. Eh bien, à cinq heures, ici. (*Le duc sort.*)

16 *partie* means both a game and a hostile party. Antoinette takes it for the former, and Gaston confirms her in this belief by playing on the word *revanche* which means both revenge and return game (to regain money lost in playing).

SCÈNE IV

GASTON, ANTOINETTE

GASTON (*s'assied sur un canapé, ouvre une revue, bâille, et dit à sa femme*) : Viendrez-vous ce soir aux Italiens ?

ANTOINETTE.   Oui, si vous y allez.

5   GASTON.   J'y vais... Quelle robe mettrez-vous ?

ANTOINETTE.   Celle qui vous plaira.

GASTON.   Oh ! cela m'est égal...je veux dire que vous êtes jolie avec toutes.

ANTOINETTE.   Vous qui avez si bien le sentiment de
10 l'élégance, mon ami, vous devriez me donner des conseils.

GASTON.   Je ne suis pas un journal de modes, ma chère enfant ; au surplus, vous n'avez qu'à regarder les grandes dames et à prendre modèle...   Voyez madame de Nohan, madame de Villepreux...

15   ANTOINETTE.   Madame de Montjay...

GASTON.   Pourquoi madame de Montjay plus qu'une autre ?

ANTOINETTE.   Parce qu'elle vous plaît plus qu'une autre.

20   GASTON.   Où prenez-vous cela ?

ANTOINETTE.   L'autre soir, à l'Opéra, vous lui avez fait une longue visite dans sa loge.   Elle est très jolie... A-t-elle de l'esprit ?

GASTON.   Beaucoup.   (*Un silence.*)

25   ANTOINETTE.   Pourquoi ne m'avertissez - vous pas, quand je fais quelque chose qui vous déplaît ?

22 The boxes of continental theaters are usually rented, for the whole theatrical season, by people prominent in society, and during intermissions often are the scene of short visits.

GASTON. Je n'y ai jamais manqué.

ANTOINETTE. Oh! vous ne m'avez jamais adressé une remontrance.

GASTON. C'est donc que vous ne m'avez jamais rien
5 fait qui m'ait déplu.

ANTOINETTE. Sans aller bien loin, tout à l'heure, en insistant pour que vous prissiez un emploi, je vous ai froissé.

GASTON. Je n'y pensais déjà plus.

10 ANTOINETTE. Croyez bien que, si j'avais su à quel sentiment respectable je me heurtais...

GASTON. En vérité, ma chère enfant, on dirait que vous me faites des excuses.

ANTOINETTE. C'est que j'ai peur que vous n'attribuiez
15 à une vanité puérile...

GASTON. Et quand vous auriez un peu de vanité, le grand crime !

ANTOINETTE. Je n'en ai pas, je vous jure.

GASTON (se levant). Alors, ma chère, vous êtes sans
20 défauts ; car je ne vous en voyais pas d'autres... Savez-vous bien que vous avez fait la conquête de Montmey-ran ? Il y a là de quoi être fière. Hector est difficile.

ANTOINETTE. Moins que vous.

GASTON. Vous me croyez difficile ? Vous voyez bien
25 que vous avez de la vanité, je vous y prends.

ANTOINETTE. Je ne me fais pas d'illusion sur moi-même, je sais tout ce qui me manque pour être digne de vous...mais si vous vouliez prendre la peine de diriger mon esprit, de l'initier aux idées de votre monde, je vous
30 aime assez pour me métamorphoser.

GASTON (lui baisant la main). Je ne pourrais que

18 *je vous jure :* French prefers strong expressions (cf. page 22, line 13), which, to adapt them to the English idiom, should be softened in translation.—20 *vous :* cf. page 29, line 15.—22 *Il . . . quoi :* see *quoi.*

perdre à la métamorphose, madame; je serais d'ailleurs
un mauvais instituteur. Il n'y a qu'une école où l'on
apprenne ce que vous croyez ignorer: c'est le monde.
Étudiez-le.

5   ANTOINETTE.   Oui, je prendrai modèle sur madame
de Montjay.

GASTON.   Encore ce nom!... me feriez-vous l'honneur d'être jalouse? Prenez garde, ma chère, ce sentiment est du dernier bourgeois. Apprenez, puisque vous
10 me permettez de faire le pédagogue, apprenez que dans
notre monde le mariage n'est pas le ménage; nous ne
mettons en commun que les choses nobles et élégantes de
la vie. Ainsi, quand je suis loin de vous, ne vous in-
quiétez pas de ce que je fais; dites-vous seulement:
15 « Il fatigue ses défauts pour m'apporter une heure de
perfection...ou à peu près.»

ANTOINETTE.   Je trouve que votre plus grand défaut,
c'est votre absence.

GASTON.   Le madrigal est joli, et je vous en remercie.

SCÈNE V

LES MÊMES, CHEVASSUS

20 · GASTON.   Qui vient là?

CHEVASSUS.   Un de vos créanciers.

GASTON.   Vous ici, monsieur Chevassus? vous vous

3 *apprenne :* subjunctive in analogy to the cases stated on page 23,
line 5.— 9 *du dernier bourgeois :* see *dernier.* — 19 The madrigal,
sharing with the epigram its brevity, and differing from it by the
gracefulness of its thought, is treated by Boileau, *L'Art poétique,*
chant II, vv. 103–104, and 143–144. — 20 In the earlier editions of the
play all three of the usurers appeared on the scene, the effect reached
thereby being little short of farcical. The change was made by Augier
in the interest of the dignity of the drama. Cf. the preface.

êtes trompé de porte, l'escalier de service est de l'autre côté.

CHEVASSUS. Je ne voulais pas sortir sans vous voir, monsieur le marquis : ces messieurs qui étaient avec moi
5 auraient eu le même désir, mais ils ne sont pas entrés, par modestie, et je viens de leur part...

GASTON. Dites-leur que je les tiens quittes de leurs remercîments.

CHEVASSUS. Pardon! en leur nom et au mien, je viens
10 chercher les vôtres.

GASTON. Qu'est-ce à dire?

CHEVASSUS. Vous nous avez assez longtemps traités de Gobsecks, de grippe-sous et de fesse-mathieux...

GASTON. Je ne vous en fais pas mes excuses.

15 CHEVASSUS. Je suis bien aise de vous dire que nous sommes d'honnêtes gens.

GASTON. Quelle est cette plaisanterie?

CHEVASSUS. Ce n'est pas une plaisanterie, c'est un fait : nous vous avons prêté notre argent au taux du
20 commerce.

GASTON. Comment dites-vous?

CHEVASSUS. A six pour cent, pas davantage.

GASTON. Mes billets n'ont-ils pas été acquittés intégralement?

25 CHEVASSUS. Il s'en faut d'une bagatelle...

GASTON. Finissons, s'il vous plaît.

CHEVASSUS. Comme qui dirait deux cent dix-huit mille francs. Hélas! oui, il a fallu en passer par là ou tout perdre. Votre beau-père voulait absolument qu'on vous
30 mît à Clichy.

---

13 In the Middle Ages the publican Matthew passed for a usurer ("publicans and sinners"). — 25 *il . . . bagatelle :* see *faillir.* — 27 *comme qui dirait :* see *dire.* — 30 Imprisonment for debt was not abolished in France until 1867.

GASTON.   Mon beau-père voulait? ...

CHEVASSUS.   Oui, oui! il paraît que vous lui en faites
voir de cruelles, à ce pauvre homme.   Ce n'est pas que
je le plaigne au surplus, il a fait une sottise qui ne lui
5 coûtera jamais assez.   En attendant, elle nous coûte cher
à nous.

GASTON.   Votre père, madame, a joué là une comédie
indigne. (*A Chevassus.*)   Je reste votre débiteur et celui
de ces messieurs.   J'ai vingt-cinq mille livres de rente.

10 CHEVASSUS.   Vous savez bien que vous n'y pouvez pas
toucher sans le consentement de votre femme.   Nous
avons vu le contrat; on vous a lié les mains, et vous ne
rendez pas votre femme assez heureuse... (*Antoinette
s'assied à la table et écrit rapidement.*)

15 GASTON.   Sortez!

CHEVASSUS.   Doucement! on ne chasse pas comme
chiens d'honnêtes gens dont on est l'obligé...qui ont cru
que la signature du marquis de Presles valait quelque
chose...et qui se sont trompés!

20 ANTOINETTE (*tendant un papier à Chevassus*).   Vous
ne vous êtes pas trompés, monsieur: vous êtes tous payés.

GASTON (*intercepte le papier, le lit et le donnant à
Chevassus*).   Et maintenant, dehors!

CHEVASSUS.   Trop bon, monsieur le marquis! mille
25 fois trop bon! (*Il sort avec force révérences.*)

---

2 *vous ... cruelles :* see *cruel.* — 10 **ff.** Poirier's little comedy *de sa
façon* (page 54, line 33), consisting in his revelations to strangers
about Gaston's marriage contract and his wedded life, is singularly
indelicate and plebeian.

SCÈNE VI

ANTOINETTE, GASTON

GASTON (*enlevant sa femme dans ses bras*). Tiens, toi, je t'adore!

ANTOINETTE. Cher Gaston!

GASTON. Où diable monsieur ton père a-t-il pris le
5 cœur qu'il t'a donné?

ANTOINETTE. Ne jugez pas mon père trop sévère-
ment, mon ami!... Il est bon et généreux, mais il a des
idées étroites et ne connaît que son droit. C'est la faute
de son esprit, et non celle de son cœur. Enfin, mon ami,
10 si vous trouvez que j'ai fait mon devoir à propos, par-
donnez à mon père le moment d'angoisses...

GASTON. J'aurais mauvaise grâce à vous rien refuser.

ANTOINETTE. Vous ne lui ferez pas mauvais visage?
bien sûr?

15 GASTON. Non, puisque c'est votre bon plaisir, chère
marquise...marquise, entendez-vous?...

ANTOINETTE. Appelez-moi votre femme...c'est le
seul titre dont je puisse être fière!

GASTON. Vous m'aimez donc un peu?

20 ANTOINETTE. Vous ne vous en étiez pas aperçu, ingrat!

GASTON. Si fait...mais j'aime à vous l'entendre
dire...surtout dans ce moment-ci. (*La pendule sonne
trois heures.*) Trois heures! (*A part.*) Diable!... ma-
25 dame de Montjay qui m'attend chez elle.

ANTOINETTE. A quoi pensez-vous en souriant?

11 *le moment d'angoisses* refers to Gaston, not to Poirier.—15 The
phrase is modelled after documents expressing the king's wish: *Car
tel est notre bon plaisir.*

GASTON.　Voulez-vous faire un tour de promenade **au**
Bois avec moi?

ANTOINETTE.　Mais...je ne suis pas habillée.

GASTON.　Vous jetterez un châle sur vos épaules...
5 Sonnez votre femme de chambre.　(*Antoinette sonne.*)

SCÈNE VII

LES MÊMES, POIRIER

POIRIER.　Eh bien! mon gendre, vous avez vu vos
créanciers?

GASTON (*sèchement*).　Oui, monsieur...

ANTOINETTE (*bas, à Gaston, lui prenant le bras*).　Rap-
10 pelez-vous votre promesse.

GASTON (*d'un air aimable*).　Oui, cher beau-père, je
les ai vus.　(*Entre la femme de chambre.*)

ANTOINETTE (*à la femme de chambre*).　Apportez-moi
un châle et un chapeau, et dites qu'on attelle.

15　GASTON (*à Poirier*).　Permettez-moi de vous témoigner
mon admiration pour votre habileté...vous avez joué
ces drôles-là sous jambe.　(*Bas, à Antoinette.*)　Je suis
gentil?

POIRIER.　Vous prenez la chose mieux que je n'espé-
20 rais...j'étais préparé à de fières ruades de votre honneur.

GASTON.　Je suis raisonnable, cher beau-père...　Vous
avez agi selon vos idées: je le trouve d'autant moins
mauvais, que cela ne nous a pas empêchés d'agir selon
25 les nôtres.

POIRIER.　Hein?

GASTON.　Vous n'avez soldé à ces faquins que leur
créance réelle; nous avons payé le reste.

2 *Bois:* see Vocabulary.

POIRIER (*à sa fille*). Comment, tu as signé! (*Antoinette fait signe que oui.*) Ah! Dieu du ciel! qu'as-tu fait là?

ANTOINETTE. Je vous demande pardon, mon père...

5 POIRIER. Je me mets la cervelle à l'envers pour te gagner une somme rondelette, et tu la jettes par la fenêtre! Deux cent dix-huit mille francs!

GASTON. Ne pleurez pas, monsieur Poirier, c'est nous qui les perdons, et c'est vous qui les gagnez. (*La femme de chambre entre tenant un châle et un chapeau.*)

ANTOINETTE. Adieu, mon père, nous allons au Bois.

GASTON. Donnez-moi le bras, ma femme. (*Ils sortent.*)

SCÈNE VIII

POIRIER, *seul*

Ah! mais...il m'ennuie, mon gendre. Je vois bien qu'il n'y a rien à tirer de lui... Ce garçon-là mourra dans la gentilhommerie finale. Il ne veut rien faire, il n'est bon à rien, il me coûte les yeux de la tête, il est maître chez moi... Il faut que ça finisse. (*Il sonne. — Entre un domestique.*) Faites monter le portier et le cuisinier. (*Le domestique sort.*) Nous allons voir, mon gendre!... J'ai assez fait le gros dos et la patte de velours. Vous ne voulez pas faire de concessions, mon bel ami? A votre aise! je n'en ferai pas plus que vous: restez marquis, je redeviens bourgeois. J'aurai du moins le contentement de vivre à ma guise.

5 *Je ... envers*: see *envers*.—8 f. Gaston thinks he saves the reputation of Poirier's probity with his own money. Cf. page 53, line 28 ff. — 15 *mourra ... finale*: see *gentilhommerie*. — 19 *portier*: now generally called *concierge*, in aristocratic houses *suisse*.

SCÈNE IX

POIRIER, LE PORTIER

LE PORTIER. Monsieur m'a fait demander?

POIRIER. Oui, François, monsieur vous a fait demander. Vous allez mettre sur-le-champ l'écriteau sur la porte.

5   LE PORTIER. L'écriteau?

POIRIER. « A louer présentement un magnifique appartement au premier étage, avec écuries et remises.»

LE PORTIER. L'appartement de monsieur le marquis?

POIRIER. Vous l'avez dit, François.

10   LE PORTIER. Mais, monsieur le marquis ne m'a pas donné d'ordres...

POIRIER. Qui est le maître ici, imbécile? à qui est l'hôtel?

LE PORTIER. A vous, monsieur.

15   POIRIER. Faites donc ce que je vous dis, sans réflexion.

LE PORTIER. Oui, monsieur. (*Entre Vatel.*)

POIRIER. Allez, François. (*Le portier sort.*) Approchez, monsieur Vatel; vous préparez un grand dîner pour 20 demain?

VATEL. Oui, monsieur, et j'ose dire que le menu ne serait pas désavoué par mon illustre aïeul. Ce sera véritablement un objet d'art, et monsieur Poirier sera étonné.

POIRIER. Avez-vous le menu sur vous?

25   VATEL. Non, monsieur, il est à la copie; mais je le sais par cœur.

---

1 Servants generally, those of the aristocracy always, address their master or mistress in the third person. — **22** Cf. page 25, line 14, and *Vatel.*

POIRIER. Veuillez me le réciter.

VATEL. Le potage aux ravioles à l'Italienne et le potage à l'orge à la Marie Stuart.

POIRIER. Vous remplacerez ces deux potages incon-
5 nus par la bonne soupe grasse avec des légumes sur une assiette.

VATEL. Comment, monsieur?

POIRIER. Je le veux. Continuez!

VATEL. Relevé. La carpe du Rhin à la Lithuanienne,
10 les poulardes à la Godard...le filet de bœuf braisé aux raisins, à la Napolitaine; le jambon de Westphalie, rôtie madère.

POIRIER. Voici un relevé plus simple et plus sain: la barbue sauce aux câpres...le jambon de Bayonne aux
15 épinards, le fricandeau à l'oseille, le lapin sauté.

VATEL. Mais, monsieur Poirier...je ne consentirai jamais...

POIRIER. Je suis le maître ici, entendez-vous? Continuez!

20 VATEL. Entrées. Les filets de volaille à la Concordat ... les croustades de truffes garnies de foie à la Royale; le faisan étoffé à la Montpensier; les perdreaux rouges, farcis à la Bohémienne.

POIRIER. A la place de ces entrées ... nous ne met-
25 trons rien du tout, et nous passerons tout de suite au rôti, c'est l'essentiel.

VATEL. C'est contre tous les préceptes de l'art.

POIRIER. Je prends ça sur moi. Voyons vos rôtis.

VATEL. C'est inutile, monsieur. Mon aïeul s'est passé
30 son épée au travers du corps pour un moindre affront... je vous donne ma démission.

POIRIER. J'allais vous la demander, mon bon ami;

20 *Concordat:* here probably the agreement of 1801 between Napoleon I. and Pope Pius VII. — 29 *s'est...corps:* see *épée.*

mais, comme on a huit jours pour remplacer un domestique...

VATEL.　Un domestique! Monsieur, je suis un cuisinier.

5　POIRIER.　Je vous remplacerai par une cuisinière. En attendant, vous êtes pour huit jours encore à mon service, et vous voudrez bien exécuter le menu.

VATEL.　Je me brûlerais la cervelle plutôt que de manquer à mon nom.

10　POIRIER (*à part*).　Encore un qui tient à son nom! (*Haut.*) Brûlez-vous la cervelle, monsieur Vatel, mais ne brûlez pas vos sauces...　Bien le bonjour.　(*Vatel sort.*)　Et, maintenant, allons écrire quelques invitations à mes vieux camarades de la rue des Bourdonnais.　Monsieur le marquis de Presles, on va vous couper vos talons
15　rouges!　(*Il sort en fredonnant le premier couplet de Monsieur et Madame Denis.*)

1 A week is still the time fixed by law for giving a servant notice of dismissal, and *vice versa.* — 11 The pun on *brûler* (not a very clever one) cannot be kept in English.

ACTE TROISIÈME

Même décor.

SCÈNE I

GASTON, ANTOINETTE

GASTON. La bonne promenade, la bonne bouffée de printemps! on se croirait en avril.

ANTOINETTE. Vous ne vous êtes pas trop ennuyé, vraiment?

5 GASTON. Avec vous, ma chère? Vous êtes tout simplement la plus charmante femme que je connaisse.

ANTOINETTE. Des compliments, monsieur?

GASTON. Non pas! la vérité sous sa forme la plus brutale. Quelle jolie excursion j'ai faite dans votre 10 esprit! que de points de vue inattendus! que de découvertes! je vivais auprès de vous sans vous connaître, comme un Parisien dans Paris.

ANTOINETTE. Je ne vous déplais pas trop?

GASTON. C'est à moi de vous faire cette question. Je 15 ressemble à un campagnard qui a hébergé une reine déguisée; tout à coup la reine met sa couronne et le rustre confus s'inquiète de ne pas lui avoir fait plus de fête.

ANTOINETTE. Rassurez-vous, bon villageois, votre reine n'accusait que son incognito.

20 GASTON. Pourquoi l'avoir si longtemps gardé, mé-

2 *en avril:* the phrase suits the French climate. In parts of America this would correspond to May or June.

chante? Est-ce par coquetterie et pour faire nouvelle
lune? Vous avez réussi; je n'étais que votre mari, je
veux être votre amant.

ANTOINETTE. Non, cher Gaston, restez mon mari; il
5 me semble qu'on peut cesser d'aimer son amant, mais
non pas d'aimer son mari.

GASTON. A la bonne heure, vous n'êtes pas romanesque.

ANTOINETTE. Je le suis à ma manière; j'ai, là-dessus,
10 des idées qui ne sont peut-être plus de mode, mais qui
sont enracinées en moi comme toutes les impressions
d'enfance: quand j'étais petite fille, je ne comprenais
pas que mon père et ma mère ne fussent pas parents; et
le mariage m'est resté dans l'esprit comme la plus tendre
15 et la plus étroite des parentés. L'amour pour un autre
homme que mon mari, pour un étranger, me paraît un
sentiment contre nature.

GASTON. Voilà des idées de matrone romaine, ma
chère Antoinette; conservez-les toujours pour mon hon-
20 neur et mon bonheur.

ANTOINETTE. Prenez garde! il y a le revers de la
médaille! je suis jalouse, je vous en avertis. Comme il
n'y a pour moi qu'un homme au monde, il me faut toute
son affection. Le jour où je découvrirais qu'il la porte
25 ailleurs, je ne ferais ni plainte ni reproche, mais le lien
serait rompu; mon mari redeviendrait tout à coup un
étranger pour moi... je me croirais veuve.

GASTON (à part). Diable! (Haut.) Ne craignez rien
à ce sujet, chère Antoinette... nous allons vivre comme
30 deux tourtereaux, comme Philémon et Baucis, sauf la
chaumière... Vous ne tenez pas à la chaumière?

---

1 *nouvelle lune:* cf. page 48, line 17 ff. — **12** f. A most charming
trait of Antoinette's character. — **18** *matrone romaine:* such as Lucre-
tia or Cornelia.

ANTOINETTE. Pas le moins du monde.

GASTON. Je veux donner une fête splendide pour célébrer notre mariage, je veux que vous éclipsiez toutes
les femmes et que tous les hommes me portent envie.

5 ANTOINETTE. Faut-il tant de bruit autour du bonheur?

GASTON. Est-ce que vous n'aimez pas les fêtes?

ANTOINETTE. J'aime tout ce qui vous plaît. Avons-
nous du monde à dîner aujourd'hui?

10 GASTON. Non, c'est demain; aujourd'hui, nous n'a-
vons que Montmeyran. Pourquoi cette question?

ANTOINETTE. Dois-je faire une toilette?

GASTON. Parbleu! — je veux qu'en te voyant Hector
ait envie de se marier. Va, chère enfant; cette journée
15 te sera comptée dans mon cœur.

ANTOINETTE. Oh! je suis bien heureuse! (*Elle sort.*)

SCÈNE II

LE MARQUIS *seul, puis* POIRIER

GASTON. Il n'y a pas à dire, elle est plus jolie que
madame de Montjay... Que le diable m'emporte si
je ne suis pas en train de devenir amoureux de ma
20 femme!... L'amour est comme la fortune: pendant
que nous le cherchons bien loin, il nous attend chez nous,
les pieds sur les chenets. (*Entre Poirier.*) Eh bien!
cher beau-père, comment gouvernez-vous ce petit désespoir? Êtes-vous toujours furieux contre votre panier
25 percé de gendre? Avez-vous pris votre parti?

POIRIER. Non, monsieur; mais j'ai pris un parti.

---

22 Cf. La Fontaine, *Fables*, VII, 12. — **25** f. For the play on words,
see *parti*.

GASTON.   Violent?

POIRIER.   Nécessaire!

GASTON.   Y a-t-il de l'indiscrétion à vous demander...?

5 POIRIER.   Au contraire, monsieur, c'est une explication que je vous dois... (*Il lui montre un siège; ils s'asseyent tous deux, l'un à droite et l'autre à gauche de la table du milieu.*) En vous donnant ma fille et un million, je m'imaginais que vous consentiriez à prendre une 10 position.

GASTON.   Ne revenons pas là-dessus, je vous prie.

POIRIER.   Je n'y reviens que pour mémoire... Je reconnais que j'ai eu tort d'imaginer qu'un gentilhomme consentirait à s'occuper comme un homme, et je passe 15 condamnation.   Mais, dans mon erreur, je vous ai laissé mettre ma maison sur un ton que je ne peux pas soutenir à moi seul; et, puisqu'il est bien convenu que nous n'avons à nous deux que ma fortune, il me paraît juste, raisonnable et nécessaire de supprimer de mon train ce 20 qu'il me faut rabattre de mes espérances.   J'ai donc songé à quelques réformes que vous approuverez sans doute.

GASTON.   Allez, Sully! allez, Turgot!... coupez, taillez, j'y consens!   Vous me trouvez en belle humeur, 25 profitez-en!

POIRIER.   Je suis ravi de votre condescendance.   J'ai donc décidé, arrêté, ordonné...

GASTON.   Permettez, beau-père: si vous avez décidé, arrêté, ordonné, il me paraît superflu que vous me con-30 sultiez.

POIRIER.   Aussi ne vous consulté-je pas; je vous mets au courant, voilà tout.

GASTON.   Ah! vous ne me consultez pas?

POIRIER.   Cela vous étonne?

GASTON. Un peu; mais, je vous l'ai dit, je suis en belle humeur.

POIRIER. Ma première réforme, mon cher garçon...

GASTON. Vous voulez dire mon cher Gaston, je pense?
5 La langue vous a fourché.

POIRIER. Cher Gaston, cher garçon...c'est tout un... De beau-père à gendre, la familiarité est permise.

GASTON. Et, de votre part, monsieur Poirier, elle me flatte et m'honore... Vous disiez donc que votre pre-
10 mière réforme?...

POIRIER (*se levant*). C'est, monsieur, que vous me fassiez le plaisir de ne plus me gouailler. Je suis las de vous servir de plastron.

GASTON. Là, là, monsieur Poirier, ne vous fâchez
15 pas!

POIRIER. Je sais très bien que vous me tenez pour un très petit personnage et pour un très petit esprit; mais...

GASTON. Où prenez-vous cela?

20 POIRIER. Mais vous saurez qu'il y a plus de cervelle dans ma pantoufle que sous votre chapeau.

GASTON. Ah! fi! voilà qui est trivial...vous parlez comme un homme du commun.

POIRIER. Je ne suis pas un marquis, moi!

25 GASTON. Ne le dites pas si haut, on finirait par le croire.

POIRIER. Qu'on le croie ou non, c'est le cadet de mes soucis. Je n'ai aucune prétention à la gentilhommerie, Dieu merci! je n'en fais pas assez de cas pour cela.

30 GASTON. Vous n'en faites pas de cas?

POIRIER. Non, monsieur, non! Je suis un vieux libéral, tel que vous me voyez; je juge les hommes sur leur mérite, et non sur leurs titres; je me ris des hasards de la naissance; la noblesse ne m'éblouit pas, et je m'en moque comme de l'an quarante : je suis bien aise de vous l'apprendre.

GASTON. Me trouveriez-vous du mérite, par hasard ?

POIRIER. Non, monsieur, je ne vous en trouve pas.

5 GASTON. Non ! Alors, pourquoi m'avez-vous donné votre fille ?

POIRIER (*interdit*). Pourquoi je vous ai donné...

GASTON. Vous aviez donc une arrière-pensée ?

POIRIER. Une arrière-pensée ?

10 GASTON. Permettez ! Votre fille ne m'aimait pas quand vous m'avez attiré chez vous ; ce n'étaient pas mes dettes qui m'avaient valu l'honneur de votre choix ; puisque ce n'est pas non plus mon titre, je suis bien obligé de croire que vous aviez une arrière-pensée.

15 POIRIER (*se rasseyant*). Quand même, monsieur ! ... quand j'aurais tâché de concilier mes intérêts avec le bonheur de mon enfant, quel mal y verriez-vous ? qui me reprochera, à moi qui donne un million de ma poche, qui me reprochera de choisir un gendre en état de me dé-
20 dommager de mon sacrifice, quand d'ailleurs il est aimé de ma fille ? j'ai pensé à elle d'abord, c'était mon devoir ; à moi, ensuite, c'était mon droit.

GASTON. Je ne conteste pas, M. Poirier. Vous n'avez eu qu'un tort, c'est de manquer de confiance en moi.

25 POIRIER. C'est que vous n'êtes pas encourageant.

GASTON. Me gardez-vous rancune de quelques plaisanteries ? Je ne suis peut-être pas le plus respectueux des gendres, et je m'en accuse ; mais dans les choses sérieuses je suis sérieux. Il est très juste que vous cher-
30 chiez en moi l'appui que j'ai trouvé en vous.

---

1 *l'an quarante :* according to some based on the alleged superstition that the end of the world would come in 1040 ; according to others a royalist phrase signifying that the Republic would never see its fortieth year. — 3 *Me :* cf. page 29, line 15.

POIRIER (*à part*). Comprendrait-il la situation?

GASTON.   Voyons, cher beau-père, à quoi puis-je vous
être bon? si tant est que je puisse être bon à quelque
chose.

5   POIRIER.   Eh bien, j'avais rêvé que vous iriez aux
Tuileries.

GASTON.   Encore! c'est donc votre marotte de danser
à la cour?

POIRIER.   Il ne s'agit pas de danser.   Faites-moi l'hon-
10 neur de me prêter des idées moins frivoles.   Je ne suis
ni vain ni futile.

GASTON.   Qu'êtes vous donc, ventre-saint-gris! ex-
pliquez-vous.

POIRIER (*piteusement*).   Je suis ambitieux!

15   GASTON.   On dirait que vous en rougissez; pourquoi
donc?   Avec l'expérience que vous avez acquise dans les
affaires, vous pouvez prétendre à tout.   Le commerce est
la véritable école des hommes d'État.

POIRIER.   C'est ce que Verdelet me disait ce matin.

20   GASTON.   C'est là qu'on puise cette hauteur de vues,
cette élévation de sentiments, ce détachement des petits
intérêts qui font les Richelieu et les Colbert.

POIRIER.   Oh! je ne prétends pas...

GASTON.   Mais qu'est-ce qui pourrait donc bien lui
25 convenir, à ce bon monsieur Poirier?   Une préfecture?
fi donc!   Le conseil d'État? non!   Un poste diplomatique? justement l'ambassade de Constantinople est va-
cante...

---

3 *si tant est que :* see *tant.* — 5 *aller aux Tuileries* = to present
one's self at court, as proof of espousing the cause of the Orleanists.
Cf. Introduction, page 10, and page 13, note. — 19 This petty false-
hood (cf. page 36, line 20 ff. to page 37, line 5) is a trait for which
M. Levrault of *Sacs et parchemins* and, consequently, Sandeau are
responsible.

POIRIER. J'ai des goûts sédentaires : je n'entends pas le turc.

GASTON. Attendez! (*Lui frappant sur l'épaule.*) Je crois que la pairie vous irait comme un gant.

5 POIRIER. Oh! croyez-vous?

GASTON. Mais, voilà le diable! vous ne faites partie d'aucune catégorie...vous n'êtes pas encore de l'Institut...

POIRIER. Soyez donc tranquille! je payerai, quand il 10 le faudra, trois mille francs de contributions directes. J'ai à la banque trois millions qui n'attendent qu'un mot de vous pour s'abattre sur de bonnes terres.

GASTON. Ah! Machiavel! Sixte - Quint! vous les roulerez tous!

15 POIRIER. Je crois que oui.

GASTON. Mais j'aime à penser que votre ambition ne s'arrête pas en si bon chemin? Il vous faut un titre.

POIRIER. Oh! je ne tiens pas à ces hochets de la vanité: je suis, comme je vous le disais, un vieux libéral.

20 GASTON. Raison de plus. Un libéral n'est tenu de mépriser que l'ancienne noblesse; mais la nouvelle, celle qui n'a pas d'aïeux...

POIRIER. Celle qu'on ne doit qu'à soi-même!

GASTON. Vous serez comte.

25 POIRIER. Non. Il faut être raisonnable. Baron, seulement.

---

2 *le turc* recalls the Turkish ceremonies in Molière's *Le Bourgeois gentilhomme* (act IV, scenes 5 ff., and act V, scenes 1 and 2). — 7 Gaston thinks that to belong to the *Institut* is the least valuable claim to the peerage. — 10 Poirier intends becoming a landed proprietor, so as to establish the first necessary condition toward obtaining the peerage. — 13 Sixtus V. is said to have secured his election to the papacy (1585) by feigning a serious illness and debility of old age. He was one of the most energetic popes and had far-reaching plans concerning the extension of his power both ecclesiastically and politically.

GASTON.   Le baron Poirier! . . . cela sonne bien à l'o-
reille.

POIRIER.   Oui, le baron Poirier!

GASTON (*le regardant et partant d'un éclat de rire*). Je
5 vous demande pardon; mais là, vrai! c'est trop drôle!
Baron! monsieur Poirier! . . . baron de Catillard!

POIRIER (*à part*).   Je suis joué! . . .

SCÈNE III

LES MÊMES, LE DUC

GASTON.   Arrive donc, Hector! arrive donc!— Sais-
tu pourquoi Jean Gaston de Presles a reçu trois coups
10 d'arquebuse à la bataille d'Ivry? Sais-tu pourquoi François Gaston de Presles est monté le premier à l'assaut de
La Rochelle? Pourquoi Louis Gaston de Presles s'est
fait sauter à La Hogue? Pourquoi Philippe Gaston de
Presles a pris deux drapeaux à Fontenoy? Pourquoi
15 mon grand-père est mort à Quiberon? C'était pour
que monsieur Poirier fût un jour pair de France et
baron!

LE DUC.   Que veux-tu dire?

GASTON.   Voilà le secret du petit assaut qu'on m'a
20 livré ce matin.

LE DUC (*à part*).   Je comprends!

POIRIER.   Savez-vous, monsieur le duc, pourquoi j'ai
travaillé quatorze heures par jour pendant trente ans?
pourquoi j'ai amassé, sou par sou, quatre millions, en me
25 privant de tout? C'est afin que monsieur le marquis
Gaston de Presles, qui n'est mort ni à Quiberon, ni à

---

8 In the clash between *noblesse* and *bourgeoisie* such as represented
in this drama, Gaston's speech and Poirier's retort form the climax.

Fontenoy, ni à La Hogue, ni ailleurs, puisse mourir de vieillesse sur un lit de plume, après avoir passé sa vie à ne rien faire.

LE DUC. Bien répliqué, monsieur!

5 GASTON. Voilà qui promet pour la tribune.

LE DOMESTIQUE. Il y a là des messieurs qui demandent à voir l'appartement.

GASTON. Quel appartement?

LE DOMESTIQUE. Celui de monsieur le marquis.

10 GASTON. Le prend-on pour un muséum d'histoire naturelle?

POIRIER (*au domestique*). Priez ces messieurs de repasser. (*Le domestique sort.*) Excusez-moi, mon gendre; entraîné par la gaieté de votre entretien, je n'ai 15 pas pu vous dire que je loue le premier étage de mon hôtel.

GASTON. Hein?

POIRIER. C'est une des petites réformes dont je vous parlais.

20 GASTON. Et où comptez-vous me loger?

POIRIER. Au deuxième; l'appartement est assez vaste pour nous contenir tous.

GASTON. L'arche de Noé!

POIRIER. Il va sans dire que je loue les écuries et les 25 remises.

GASTON. Et mes chevaux? vous les logerez au deuxième aussi?

POIRIER. Vous les vendrez.

GASTON. J'irai donc à pied?

30 LE DUC. Ça te fera du bien. Tu ne marches pas assez.

POIRIER. D'ailleurs, je garde mon coupé bleu. Je vous le prêterai.

32 To understand the sly hit, cf. page 31, line 19.

Le Duc. Quand il fera beau.

Gaston. Ah çà! monsieur Poirier!...

Le Domestique (*rentrant*). Monsieur Vatel demande à parler à monsieur le marquis.

5 Gaston. Qu'il entre. (*Entre Vatel en habit noir.*) Quelle est cette tenue, monsieur Vatel? êtes-vous d'enterrement, ou la marée manque-t-elle?

Vatel. Je viens donner ma démission à monsieur le marquis.

10 Gaston. Votre démission? la veille d'une bataille!

Vatel. Telle est l'étrange position qui m'est faite; je dois déserter pour ne pas me déshonorer; que monsieur le marquis daigne jeter les yeux sur le menu que m'impose monsieur Poirier.

15 Gaston. Que vous impose monsieur Poirier? Voyons cela. (*Lisant.*) Le lapin sauté?

Poirier. C'est le plat de mon vieil ami Ducaillou.

Gaston. La dinde aux marrons?

Poirier. C'est le régal de mon camarade Groschenet.

20 Gaston. Vous traitez la rue des Bourdonnais?

Poirier. En même temps que le faubourg Saint-Germain.

Gaston. J'accepte votre démission, Monsieur Vatel. (*Vatel sort.*) Ainsi demain mes amis auront l'honneur 25 d'être présentés aux vôtres?

Poirier. Vous l'avez dit, ils auront cet honneur. Monsieur le duc sera-t-il humilié de manger ma soupe entre monsieur et madame Pincebourde?

1 This remark of the duke, who is highly amused by the whole scene, is sarcastic. Since a *coupé* is always closed, it is more or less unpleasant in fine weather. — 6 *êtes-vous d'enterrement:* see *être.* — 7 *la marée:* see *Vatel.* — 17 For the names of Poirier's friends, see Vocabulary. — 18 This dish is not contained in Poirier's *menu*, act II, scene 9. French epicures regard turkey as a delicacy fit for plebeians. Cf. de Villiers's comedy *Les Marquis friands* (1665), scene 11.

LE DUC.   Nullement.   Cette petite débauche ne me
déplaira pas.   Madame Pincebourde doit chanter au dessert?

GASTON.   Après dîner nous ferons un cent de piquet.

5 LE DUC.   Ou un loto.

POIRIER.   Ou un nain-jaune.

GASTON.   Et de temps en temps, j'espère, nous renou-
vellerons cette bamboche?

POIRIER.   Mon salon sera ouvert tous les soirs et vos
10 amis seront toujours les bienvenus.

GASTON.   Décidément, monsieur Poirier, votre maison
va devenir un lieu de délices, une petite Capoue.   Je
craindrais de m'y amollir, j'en sortirai pas plus tard que
demain.

15 POIRIER.   J'en serai au regret...mais mon hôtel n'est
pas une prison.   Quelle carrière embrasserez-vous? la
médecine ou le barreau?

GASTON.   Qui parle de cela?

POIRIER.   Les ponts et chaussées peut-être? ou le pro-
20 fessorat? car vous ne pensez pas tenir votre rang avec
neuf mille francs de rente?

LE DUC.   Neuf mille francs de rente?

POIRIER (*à Gaston*).   Dame! le bilan est facile à établir: vous avez reçu cinq cent mille francs de la dot de
25 ma fille.   La corbeille de noces et les frais d'installation
en ont absorbé cent mille.   Vous venez d'en donner
deux cent dix-huit mille à vos créanciers, il vous en reste
donc cent quatre-vingt-deux mille, qui, placés au taux
légal, représentent neuf mille livres de rente...   Est-ce
30 clair?   Est-ce avec ce revenu que vous nourrirez vos

---

2 *doit:* see *devoir.* — 4 ff. All of the games mentioned here are
bourgeois. — 25 The bridegroom's wedding presents to the bride on
the morning before the signing of the contract amount, as a rule, to
one-tenth of the dowry.

amis de carpes à la Lithuanienne et de volailles à la Concordat? Croyez-moi, mon cher Gaston, restez chez moi; vous y serez encore mieux que chez vous. Pensez à vos enfants...qui ne seront pas fâchés de trouver un jour
5 dans la poche du marquis de Presles les économies du bonhomme Poirier. Au revoir, mon gendre, je vais régler le compte de monsieur Vatel. (*Il sort.*)

SCÈNE IV

LE DUC, LE MARQUIS

(*Ils se regardent un instant. Le Duc éclate de rire.*)

GASTON. Tu trouves cela drôle, toi?

LE DUC. Ma foi, oui! Voilà donc ce beau-père mo-
10 deste et nourrissant comme les arbres à fruit? ce George Dandin? Tu as trouvé ton maître, mon fils. Mais, au nom du ciel, ne fais pas cette piteuse mine! Regarde-toi, tu as l'air d'un paladin qui partait pour la croisade et que la pluie a fait rentrer! Ris donc un peu; l'aven-
15 ture n'est pas tragique.

GASTON. Tu as raison!... Parbleu! monsieur Poirier, mon beau-père, vous me rendez là un service dont vous ne vous doutez pas.

LE DUC. Un service?

20 GASTON. Oui, mon cher, oui, j'allais tout simplement me couvrir de ridicule; j'étais en chemin de devenir amoureux de ma femme... Heureusement monsieur Poirier m'arrête à la première station.

LE DUC. Ta femme n'est pas responsable des sottises
25 de Poirier. Elle est charmante.

GASTON. Laisse-moi donc tranquille! Elle ressemble à son père.

9 ff. Cf. page 25, line 27, and page 26, line 1.

LE DUC. Pas le moins du monde.

GASTON. Je te dis qu'elle a un air de famille…je ne pourrais plus l'embrasser sans penser à ce vieux croco-dile. Et puis, je voulais bien rester au coin du feu…

5 mais du moment qu'on y met la marmite… (*Il tire sa montre.*) Bonsoir!

LE DUC. Où vas-tu?

GASTON. Chez madame de Montjay: voilà deux heures qu'elle m'attend.

10 LE DUC. Non, Gaston, n'y va pas.

GASTON. Ah! on veut me rendre la vie dure ici; on veut me mettre en pénitence…

LE DUC. Écoute-moi donc!

GASTON. Tu n'as rien à me dire.

15 LE DUC. Et ton duel?

GASTON. Tiens! c'est vrai…je n'y pensais plus.

LE DUC. Tu te bats demain à deux heures, au bois de Vincennes.

GASTON. Très bien! De l'humeur dont je suis, Pont-

20 grimaud passera demain un joli quart d'heure.

SCÈNE V

LES MÊMES, VERDELET, ANTOINETTE

ANTOINETTE. Vous sortez, mon ami?

GASTON. Oui, madame, je sors. (*Il sort.*)

VERDELET. Dis donc, Toinon? il ne paraît pas d'hu-meur aussi charmante que tu le disais.

25 ANTOINETTE. Je n'y comprends rien…

LE DUC. Il se passe ici des choses graves, madame.

5 Cf. the sentiment expressed by Gaston, page 58, line 11 ff. — 20 Ironical for *un mauvais quart d'heure.*

ANTOINETTE.   Quoi donc?...

LE DUC.   Votre père est ambitieux.

VERDELET.   Ambitieux!... Poirier?

LE DUC.   Il avait compté sur le nom de son gendre
5 pour arriver...

VERDELET.   A la pairie, comme M. Michaud! (*A
part.*) Vieux fou!

LE DUC.   Irrité du refus de Gaston, il cherche à se
venger à coups d'épingle, et je crains bien que ce ne soit
10 vous qui payiez les frais de la guerre.

ANTOINETTE.   Comment cela?

VERDELET.   C'est bien simple...si ton père rend la
maison odieuse à ton mari, il cherchera des distractions
dehors.

15   ANTOINETTE.   Des distractions dehors?

LE DUC.   Monsieur Verdelet a mis le doigt sur le
danger, et vous seule pouvez le prévenir. Si votre père
vous aime, mettez-vous entre lui et Gaston. Obtenez la
cessation immédiate des hostilités; rien n'est encore per-
20 du...tout peut se réparer.

ANTOINETTE.   « Rien n'est encore perdu! tout peut se
réparer!» Vous me faites trembler! Contre qui donc
ai-je à me défendre?

LE DUC.   Contre votre père.

25   ANTOINETTE.   Non, vous ne me dites pas tout... Les
torts de mon père ne m'enlèveraient pas mon mari en un
jour... Il fait la cour à une femme, n'est-ce pas?

LE DUC.   Non, madame; mais...

ANTOINETTE.   Pas de ménagements, monsieur le duc...
30 j'ai une rivale.

LE DUC.   Calmez-vous, madame.

ANTOINETTE.   Je le devine, je le sens, je le vois... Il
est auprès d'elle.

LE DUC.   Non, madame, il vous aime.

ANTOINETTE.   Il ne me connaît que depuis une heure !
Ce n'est pas à moi qu'il a senti besoin de raconter sa
colère... Il a été se plaindre ailleurs.

VERDELET.   Ne te bouleverse pas comme ça, Toinon ;
5 il a été prendre l'air, voilà tout.   C'était mon remède
quand Poirier m'exaspérait. (*Entre un domestique avec
une lettre sur un plat d'argent.*)

LE DOMESTIQUE.   Une lettre pour monsieur le marquis.

ANTOINETTE.   Il est sorti ; mettez-la là. (*Elle regarde
10 la lettre. A part.*) Une écriture de femme. (*Haut.*) De
quelle part ?

LE DOMESTIQUE.   C'est le valet de pied de madame
de Montjay qui l'a apportée.   (*Il sort.*)

ANTOINETTE (*à part*).   De madame de Montjay !

15   LE DUC.   Je verrai Gaston avant vous, madame ; si
vous voulez, je lui remettrai cette lettre ?

ANTOINETTE.   Craignez-vous que je ne l'ouvre ?

LE DUC.   Oh ! madame !

ANTOINETTE.   Elle se sera croisée avec Gaston.

20   VERDELET.   Qu'est-ce que tu vas supposer là ? La
maîtresse de ton mari n'aurait pas l'imprudence de lui
écrire chez toi.

ANTOINETTE.   Pour ne point oser lui écrire chez moi,
il faudrait qu'elle me méprisât bien ! D'ailleurs je ne
25 dis pas que ce soit sa maîtresse. Je dis qu'il lui fait la
cour. Je le dis parce que j'en suis sûre.

LE DUC.   Je vous jure, madame...

ANTOINETTE.   L'oseriez-vous jurer sérieusement, monsieur le duc ?

30   LE DUC.   Mon serment ne vous prouverait rien, car
un galant homme a le droit de mentir en pareil cas.

---

3 *il* ... *ailleurs :* see *être.* — 31 *galant homme* usually is identical
with *honnête homme* (page 83, line 3), but here stands in fine distinction to it. (Cf. "The Prince perjured himself like a gentleman.")

Quoiqu'il en soit, madame, je vous ai prévenue du danger ; je vous ai indiqué le moyen d'y échapper, j'ai rempli mon devoir d'ami et d'honnête homme, ne m'en demandez pas plus. (*Il sort.*)

SCÈNE VI

ANTOINETTE, VERDELET

5   ANTOINETTE. Ah! je viens de perdre tout ce que j'avais gagné dans le cœur de Gaston... Il m'appelait marquise, il y a une heure... Mon père lui a rappelé brutalement que je suis mademoiselle Poirier.

VERDELET. Eh bien, est-ce qu'on ne peut pas aimer
10 mademoiselle Poirier ?

ANTOINETTE. Mon dévouement aurait fini par le toucher peut-être, ma tendresse par attirer la sienne ; il était déjà sur la pente insensible qui le conduisait à moi ! mon père lui fait rebrousser chemin ! — Sa maîtresse ! Il est
15 impossible qu'elle le soit déjà, n'est-ce pas, Tony ? Est-ce que tu crois qu'elle l'est ?

VERDELET. Moi ? pas du tout !

ANTOINETTE. Qu'il lui fasse la cour depuis quelques jours, je le comprends ; mais pour être son amant, il fau-
20 drait qu'il eût commencé le lendemain de notre mariage, et ce serait infâme !

VERDELET. Oui, mon enfant.

ANTOINETTE. Il ne m'a pas épousée avec la certitude qu'il ne m'aimerait jamais...il n'a pas dû me condamner
25 si vite.

VERDELET. Non, sans doute.

ANTOINETTE. Tu n'en as pas l'air bien sûr... Es-tu

---

24 *il ... vite :* see *devoir.*

fou, Tony, d'accueillir un soupçon si odieux! Je te jure
que mon mari est incapable d'une infamie. Réponds donc
que c'est évident! Le prends-tu pour un misérable?

VERDELET.   Non pas!

5   ANTOINETTE.   Alors tu peux jurer qu'il est innocent...
jure-le, mon bon Tony, jure-le!

VERDELET.   Je le jure! je le jure!

ANTOINETTE.   Pourquoi lui écrit-elle?

VERDELET.   Pour l'inviter à quelque soirée, tout sim-
10   plement.

ANTOINETTE.   Une soirée bien pressée, puisqu'elle en-
voie l'invitation par un domestique. — Oh! quand je
pense que le secret de ma destinée est enfermée sous ce
pli...   Allons-nous-en...cette lettre m'attire...je suis
15   tentée. (*Elle la remet sur la table et reste immobile à la
regarder.*)

VERDELET.   Viens, tu as raison. (*Elle ne bouge pas.*)

SCÈNE VII

LES MÊMES, POIRIER

POIRIER.   Dis donc, fifille...Antoinette... (*A Verdelet.*) Qu'est-ce qu'elle regarde là, une lettre? (*Il prend
20   la lettre.*)

ANTOINETTE.   Laissez, mon père! c'est une lettre pour
monsieur de Presles.

POIRIER (*regardant l'adresse*).   Jolie écriture! (*Il la
flaire.*) Ça ne sent pas le tabac.   C'est une lettre de
25   femme.

ANTOINETTE (*vivement*).   Oui, de madame de Montjay, je sais ce que c'est.

POIRIER.   Comme tu as l'air agité...   Est-ce que tu
as la fièvre? (*Il lui prend la main.*) Tu as la fièvre!

ANTOINETTE. Non, mon père.

POIRIER. Si fait! Il y a quelque chose.

ANTOINETTE. Il n'y a rien, je vous assure...

VERDELET (*bas, à Poirier*). Laisse-la donc tranquille...

5 POIRIER. Est-ce que le marquis te ferait des traits, par hasard? Nom de nom! si je le savais!

ANTOINETTE. Si vous m'aimez, mon père...

POIRIER. Si je t'aime!

ANTOINETTE. Ne tourmentez plus Gaston.

10 POIRIER. Est-ce que je le tourmente! je fais des économies, voilà tout.

VERDELET. Tu fais des taquineries, et elles retombent sur la fille.

POIRIER. Mêle-toi de ce qui te regarde. (*A Antoi-* 15 *nette.*) Voyons, qu'est-ce qu'il t'a fait, ce monsieur? je veux le savoir.

ANTOINETTE. Rien...rien...n'allez pas le quereller, au nom du ciel!

POIRIER. Pourquoi mangeais-tu des yeux cette lettre? 20 Est-ce que tu crois que madame de Montjay...?

ANTOINETTE. Non, non...

POIRIER. Elle le croit, n'est-ce pas, Verdelet?

VERDELET. Elle suppose...

POIRIER. Il est facile de s'en assurer. (*Il rompt le* 25 *cachet.*)

ANTOINETTE. Mon père!... le secret d'une lettre est sacré!

POIRIER. Il n'y a de sacré pour moi que ton bonheur.

---

14 It is a technical mistake of the drama that Poirier is nowhere made to explain to Verdelet that in economizing he is but carrying out the latter's suggestions (page 34, line 10, and page 38, line 10). Verdelet himself seems to have forgotten it also and, in suffering with Antoinette, is made to pay the penalty of inadvertently setting Poirier on the wrong track.

VERDELET. Prends garde, Poirier!... Que dira ton gendre?

POIRIER. Je me soucie bien de mon gendre! (*Il ouvre la lettre.*)

5 ANTOINETTE. Ne lisez pas, au nom du ciel!

POIRIER. Je lirai... Si ce n'est pas mon droit, c'est mon devoir. (*Lisant.*) « Cher Gaston...» Ah! le scélérat! (*Il froisse la lettre et la jette avec colère.*)

ANTOINETTE. Oh! mon Dieu!... (*Elle tombe dans* 10 *un fauteuil.*)

POIRIER (*prenant Verdelet au collet*). C'est toi qui m'as laissé faire ce mariage-là.

VERDELET. C'est trop fort!

POIRIER. Quand je t'ai consulté, pourquoi ne t'es-tu 15 pas mis en travers? pourquoi ne m'as-tu pas dit ce qui devait arriver?

VERDELET. Je te l'ai dit vingt fois!... mais monsieur était ambitieux!

POIRIER. Ça m'a bien réussi!

20 VERDELET. Elle perd connaissance.

POIRIER. Ah! mon Dieu!

VERDELET (*à genoux devant Antoinette*). Toinon, mon enfant, reviens à toi...

POIRIER. Ote-toi de là... Est-ce que tu sais ce qu'il 25 faut lui dire! (*A genoux devant Antoinette.*) Toinon, mon enfant, reviens à toi.

ANTOINETTE. Ça n'est rien, mon père.

POIRIER. Sois tranquille...je te débarrasserai de ce monstre.

30 ANTOINETTE. Qu'ai-je donc fait au bon Dieu pour être éprouvée de la sorte! Après trois mois de mariage!

---

11 f. This way of upbraiding others rather than himself when his plans miscarry, Poirier has in common with M. Levrault in *Sacs et parchemins.* — **16** *devait:* see *devoir.*

Non! le lendemain! le lendemain! Il ne m'a pas été
fidèle un jour! Il a couru chez cette femme en sortant
de mes bras... Il n'avait donc pas senti battre mon
cœur? il n'avait donc pas compris que je me donnais à
5 lui tout entière? Le malheureux! j'en mourrai!

POIRIER. Tu en mourras?...je te le défends! Qu'est-
ce que je deviendrais, moi! Ah! le brigand!... Où
vas-tu?

ANTOINETTE. Chez moi.

10 POIRIER. Veux-tu que je t'accompagne?

ANTOINETTE. Merci, mon père.

VERDELET (à Poirier). Laissons-la pleurer seule...
les larmes la soulageront.

SCÈNE VIII

POIRIER, VERDELET

POIRIER. Quel mariage! quel mariage! (Il se pro-
15 mène en se donnant des coups de poing.)

VERDELET. Calme-toi, Poirier...tout peut se réparer.
Notre devoir, maintenant, c'est de rapprocher ces deux
cœurs.

POIRIER. Mon devoir, je le connais, et je le ferai.
20 (Il ramasse la lettre.)

VERDELET. Je t'en supplie, pas de coup de tête!

SCÈNE IX

LES MÊMES, GASTON, qui va à la table et cherche fiévreuse-
ment dans les papiers et albums qui la couvrent

POIRIER. Vous cherchez quelque chose, monsieur?

GASTON. Oui, une lettre.

POIRIER.   De madame de Montjay.   Ne cherchez pas,
elle est dans ma poche.

GASTON.   L'auriez-vous ouverte, par hasard?

POIRIER.   Oui, monsieur, je l'ai ouverte.

5   GASTON.   Vous l'avez ouverte? Savez-vous bien, monsieur, que c'est une indignité, que c'est l'action d'un malhonnête homme?

VERDELET.   Monsieur le marquis! . . .   Poirier!

POIRIER.   Il n'y a qu'un malhonnête homme ici, c'est
10 vous!

GASTON.   Pas de reproches!   En me volant le secret
de mes fautes, vous avez perdu le droit de les juger!   Il
y a quelque chose de plus inviolable que la serrure d'un
coffre-fort, monsieur; c'est le cachet d'une lettre, car il
15 ne se défend pas.

VERDELET (*à Poirier*).   Qu'est-ce que je te disais?

POIRIER.   C'est trop fort.   Un père n'aurait pas le
droit! . . .   Mais je suis bien bon de répondre!   Vous vous
expliquerez devant les tribunaux, monsieur le marquis.

20   VERDELET.   Les tribunaux!

POIRIER.   Ah! vous croyez qu'on peut impunément
apporter dans nos familles l'adultère et le désespoir?
Un bon procès, monsieur! un procès en séparation de
corps!

25   GASTON.   Un procès? où cette lettre sera lue?

POIRIER.   En public; oui, monsieur, en public!

VERDELET.   Es-tu fou, Poirier? un pareil scandale. . .

GASTON.   Mais vous ne songez pas que vous perdez
une femme!

30   POIRIER.   Vous allez me parler de son honneur, peut-
être?

GASTON.   Oui, de son honneur, et, si ce n'est pas assez
pour vous, sachez qu'il y va de sa ruine. . .

23 Actual divorce did not become legal in France until 1882.

POIRIER.   Tant mieux, morbleu, j'en suis ravi! Elle
ne sera jamais trop punie, celle-là!

GASTON.   Monsieur...

POIRIER.   En voilà une, par exemple, qui n'intéressera
5 personne! Prendre le mari d'une pauvre jeune femme
après trois mois de mariage!

GASTON.   Elle est moins coupable que moi, n'accusez
que moi...

POIRIER.   Si vous croyez que je ne vous méprise pas
10 comme le dernier des derniers!... N'êtes-vous pas
honteux? sacrifier une femme charmante... Que lui
reprochez-vous? Trouvez-lui un défaut, un seul, pour
vous excuser! Un cœur d'or! des yeux superbes! Et
une éducation! Tu sais ce qu'elle m'a coûté, Ver-
15 delet?

VERDELET.   Modère-toi, de grâce...

POIRIER.   Crois-tu que je ne me modère pas? Si je
m'écoutais!... mais non... il y a des tribunaux... je
vais chez mon avoué.

20 GASTON.   Attendez jusqu'à demain, monsieur, je vous
en supplie...donnez-vous le temps de la réflexion.

POIRIER.   C'est tout réfléchi.

GASTON (à Verdelet).   Aidez-moi à prévenir un malheur irréparable.

25 VERDELET.   Ah! vous ne le connaissez pas!

GASTON (à Poirier).   Prenez garde, monsieur. Je
dois sauver cette femme, je dois la sauver à tout prix...
Comprenez donc que je suis responsable de tout!

POIRIER.   Je l'entends bien ainsi.

30 GASTON.   Vous ne savez pas jusqu'où le désespoir
pourrait m'emporter!

POIRIER.   Des menaces?

12 *lui:* cf. page 29, line 15. — 14 Observe the ridiculous anticlimax
in Poirier's enumeration.

GASTON. Oui! des menaces; rendez-moi cette lettre...
Vous ne sortirez pas!

POIRIER. De la violence! faut-il que je sonne mes
gens?

5   GASTON. C'est vrai! ma tête se perd. Écoutez-moi,
du moins. Vous n'êtes pas méchant!... c'est la colère,
c'est la douleur qui vous égare.

POIRIER. Colère légitime, douleur respectable!

GASTON. Oui, monsieur, je reconnais mes fautes je
10 les déplore...mais, si je vous jurais de ne plus revoir
madame de Montjay, si je vous jurais de consacrer ma
vie au bonheur de votre fille?

POIRIER. Ce serait la seconde fois que vous le jure-
riez... Finissons!

15 · GASTON. Arrêtez! vous aviez raison ce matin, c'est
le désœuvrement qui m'a perdu.

POIRIER. Ah! vous le reconnaissez maintenant.

GASTON. Eh bien, si je prenais un emploi?...

POIRIER. Un emploi? vous?

20   GASTON. Vous avez le droit de douter de ma parole,
je le sais; mais gardez cette lettre, et si je manque à
mes engagements, vous serez toujours à temps...

POIRIER. C'est vrai, oui, c'est vrai.

VERDELET. Eh bien, tu acceptes? Tout vaut mieux
25 qu'une séparation.

POIRIER. Ce n'est pas tout à fait mon avis... Cependant puisque tu l'exiges... (*Au marquis.*) Je souscris
pour ma part, monsieur, au traité que vous m'offrez...
Il ne reste plus qu'à le soumettre à ma fille.

30   VERDELET. Oh! ce n'est pas ta fille qui demandera
du scandale.

POIRIER. Allons la trouver. (*A Gaston.*) Croyez bien,
monsieur, qu'en tout ceci je ne consulte que le bonheur
de mon enfant. Pour que vous n'ayez pas le droit d'en

douter, je vous déclare d'avance que je n'attends plus
rien de vous, que je n'accepterai rien, et resterai Gros-
Jean comme devant.

VERDELET. C'est bien, Poirier.

5 POIRIER (*à Verdelet*). A moins pourtant qu'il ne rende
ma fille si heureuse...si heureuse!... (*Ils sortent.*)

SCÈNE X

GASTON, *seul*

Tu l'as voulu, marquis de Presles! Est-ce assez d'hu-
miliations! Ah! madame de Montjay!... En ce moment mon sort se décide. Que vont-ils me rapporter?
10 Ma condamnation ou celle de cette infortunée? la honte
ou le remords? Et tout cela pour une fantaisie d'un
jour! Tu l'as voulu, marquis de Presles...n'accuse que
toi! (*Il reste absorbé.*)

SCÈNE XI

GASTON, LE DUC

LE DUC (*entrant, et frappant sur l'épaule de Gaston*)
15 Qu'as-tu donc?

GASTON. Tu sais ce que mon beau-père me demandait
ce matin?

---

5 With these words Poirier creates for himself a subterfuge in case
he does not wish to adhere closely to the declaration just made. —
7 George Dandin's piteous self-reproach, *Vous l'avez voulu, George
Dandin!* often, as here, quoted in the second person singular, as a
reminiscence of Molière's hapless *bourgeois* (cf. Introduction, page 9,
§ 6, and note 2), is inappropriate here. Gaston's present situation
does not logically result from his marrying a *bourgeoise;* and his faith-
lessness could not expect better treatment from an aristocratic father-
in-law.

LE DUC. Eh bien?

GASTON. Si on te disait que j'y consens?

LE DUC. Je répondrais que c'est impossible.

GASTON. C'est pourtant la vérité.

5 LE DUC. Es-tu fou? Tu le disais toi-même, s'il est un homme qui n'ait pas le droit...

GASTON. Il le faut... Mon beau-père a ouvert une lettre de madame de Montjay; dans sa colère, il voulait la porter chez son avoué, et, pour l'arrêter, j'ai dû me 10 mettre à sa discrétion.

LE DUC. Pauvre ami! dans quel abîme as-tu roulé!

GASTON. Ah! si Pontgrimaud me tuait demain, quel service il me rendrait!

LE DUC. Voyons, voyons, pas de ces idées-là!

15 GASTON. Cela arrangerait tout.

LE DUC. Tu n'as que vingt-cinq ans, ta vie peut être belle encore.

GASTON. Ma vie?... Regarde où j'en suis: ruiné, esclave d'un beau-père dont le despotisme s'autorisera de 20 mes fautes, mari d'une femme que j'ai blessée au cœur et qui ne l'oubliera jamais!... Tu dis que ma vie peut être belle encore!... Mais je suis dégoûté de tout et de moi-même!... Mes étourderies, mes sottises, mes égarements m'ont amené à ce point que tout me manque 25 à la fois: la liberté, le bonheur domestique, l'estime du monde et la mienne propre!... Quelle pitié!...

LE DUC. Du courage, mon ami; ne te laisse pas abattre!

GASTON (*se levant*). Oui, je suis un lâche! Un gentil-30 homme a le droit de tout perdre, fors l'honneur.

---

6 *ait:* subjunctive in analogy with the cases mentioned in page 23, line 5; cf. also page 58, line 2 f. — 30 *fors* occurs in this phrase only. Francis I. is said to have written to his mother after his defeat at Pavia (1525): "*Madame, tout est perdu, fors l'honneur.*" (In reality

Le Duc.   Que veux-tu faire?

Gaston.   Ce que tu ferais à ma place.

Le Duc.   Non.

Gaston.   Tu vois bien que si, puisque tu m'as com-
5 pris... Tais-toi!... je n'ai plus que mon nom, et je,
veux le garder intact... On vient.

SCÈNE XII

LES MÊMES, POIRIER, ANTOINETTE, *et* VERDELET

Antoinette.   Non, mon père, non, c'est impossible...
Tout est fini entre monsieur de Presles et moi!

Verdelet.   Je ne te reconnais plus là, mon enfant.

10   Poirier.   Mais puisque je te dis qu'il prendra une
occupation! qu'il ne reverra jamais cette femme! qu'il
te rendra heureuse!

Antoinette.   Il n'y a plus de bonheur pour moi! Si
monsieur de Presles ne m'a pas aimée librement, croyez-
15 vous qu'il m'aimera par contrainte?

Poirier (*au marquis*).   Parlez donc, monsieur!

Antoinette.   Monsieur de Presles se tait; il sait que
je ne croirais pas à ses protestations. Il sait aussi que
tout lien est rompu entre nous, et qu'il ne peut plus être
20 qu'un étranger pour moi... Reprenons donc tous les
deux ce que la loi peut nous rendre de liberté... Je
veux une séparation, mon père. Donnez-moi cette lettre:
c'est à moi, à moi seule, qu'il appartient d'en faire usage!
Donnez-la-moi!

25   Poirier.   Je t'en supplie, mon enfant, pense au scandale qui va nous éclabousser tous.

the words were: "*de toutes choses ne m'est demeuré que l'honneur et
la vie qui est sauve*"). — 3 The earlier editions have: *Non, je ne me
tuerais pas.* The change to simple *non* is an excellent one.

ANTOINETTE.   Il ne salira que les coupables!

VERDELET.   Pense à cette femme que tu vas perdre à jamais...

ANTOINETTE.   A-t-elle eu pitié de moi?...   Mon
5 père, donnez-moi cette lettre.   Ce n'est pas votre fille qui vous la demande, c'est la marquise de Presles outragée.

POIRIER.   La voilà...   Mais puisqu'il prendrait une occupation...

ANTOINETTE.   Donnez. (*Au marquis.*) Je tiens ma
10 vengeance, monsieur, elle ne saurait m'échapper. Vous aviez engagé votre honneur pour sauver votre maîtresse, je le dégage et vous le rends. (*Elle déchire la lettre et la jette au feu.*)

POIRIER.   Eh bien! qu'est-ce qu'elle fait?

15 ANTOINETTE.   Mon devoir!

VERDELET.   Brave enfant!

LE DUC.   Noble cœur!

GASTON.   Oh! madame, comment vous exprimer?...
Orgueilleux que j'étais! je croyais m'être mésallié...
20 vous portez mon nom mieux que moi! Ce ne sera pas trop de toute ma vie pour réparer le mal que j'ai fait.

ANTOINETTE.   Je suis veuve, monsieur... (*Elle prend le bras de Verdelet pour sortir.*)

ACTE QUATRIÈME

Même décor.

SCÈNE I

VERDELET, ANTOINETTE, POIRIER

(Antoinette est assise entre Verdelet et Poirier.)

VERDELET. Je te dis que tu l'aimes encore.

POIRIER. Et moi, je te dis que tu le hais.

VERDELET. Mais non, Poirier...

POIRIER. Mais si!... Ce qui s'est passé hier ne te
5 suffit pas? Tu voudrais que ce vaurien m'enlevât ma
fille à présent?

VERDELET. Je voudrais que l'existence d'Antoinette
ne fût pas à jamais perdue, et, à la façon dont tu t'y
prends...

10 POIRIER. Je m'y prends comme il me plaît, Verdelet...
Ça t'est facile de faire le bon apôtre, tu n'es pas à cou-
teaux tirés avec le marquis, toi! Une fois qu'il aurait
emmené sa femme, tu serais toujours fourré chez elle, et
pendant ce temps, je vivrais dans mon trou, seul, comme
15 un chat-huant...voilà ton rêve! Oh! je te connais, va!
Égoïste comme tous les vieux garçons!...

VERDELET. Prends garde, Poirier! Es-tu sûr qu'en

---

8 *ne fût ... perdue :* a married woman separated from her husband
would during his life be impossible in good society. This has changed
since the enactment of the divorce laws, in 1882.

poussant les choses à l'extrême, tu n'obéisses pas toi-
même à un sentiment d'égoïsme?...

POIRIER. Nous y voilà! C'est moi qui suis l'égoïste
ici! parce que je défends le bonheur de ma fille! parce
5 que je ne veux pas que mon gueux de gendre m'arrache
mon enfant pour la torturer! (*A sa fille.*) Mais dis donc
quelque chose!... ça te regarde plus que moi.

ANTOINETTE. Je ne l'aime plus, Tony. Il a tué dans
mon cœur tout ce qui fait l'amour.

10 POIRIER. Ah!

ANTOINETTE. Je ne le hais pas, mon père; il m'est
indifférent, je ne le connais plus.

POIRIER. Ça me suffit.

VERDELET. Mais, ma pauvre Toinon, tu commences
15 la vie à peine. As-tu jamais réfléchi sur la destinée
d'une femme séparée de son mari? T'es-tu jamais demandé?...

POIRIER. Ah! Verdelet, fais-nous grâce de tes sermons! Elle sera, pardieu, bien à plaindre avec son bon-
20 homme de père, qui n'aura plus d'autre ambition que de
l'aimer et de la dorloter! Tu verras, fifille, quelle bonne
petite existence nous mènerons à nous deux... (*Montrant Verdelet.*) A nous trois! car je vaux mieux que
toi, gros égoïste!... Tu verras comme nous t'aimerons,
25 comme nous te câlinerons! Ce n'est pas nous qui te
planterons là pour courir après des comtesses!... Allons, faites tout de suite une risette à ce père...dites que
vous serez heureuse avec lui.

ANTOINETTE. Oui, mon père, bien heureuse.

30 POIRIER. Tu l'entends, Verdelet?

VERDELET. Oui, oui.

14 Antoinette is probably not yet twenty years old. — 26 *comtesse*
always means the wife of a count; a count's unmarried daughter is
mademoiselle de . . .

POIRIER. Quant à ton garnement de mari...tu as été trop bonne pour lui, ma fille...nous le tenions!... Enfin!... Je lui servirai une pension de mille écus, et il ira se faire pendre ailleurs.

5 ANTOINETTE. Ah! qu'il prenne tout, qu'il emporte tout ce que je possède.

POIRIER. Non pas!

ANTOINETTE. Je ne demande qu'une chose, c'est de ne jamais le revoir.

10 POIRIER. Il entendra parler de moi sous peu... Je viens de lui décocher un dernier trait...

ANTOINETTE. Qu'avez-vous fait?

POIRIER. Hier, en te quittant, je suis allé avec Verdelet chez mon notaire.

15 ANTOINETTE. Eh bien?

POIRIER. J'ai mis en vente le château de Presles, le château de messieurs ses pères.

ANTOINETTE. Vous avez fait cela? Et toi, Tony, tu l'as laissé faire?

20 VERDELET (bas, à Antoinette). Sois tranquille.

POIRIER. Oui, oui. La bande noire a bon nez, et j'espère qu'avant un mois, ce vestige de la féodalité ne souillera plus le sol d'un peuple libre. Sur son emplacement, on plantera des betteraves; avec ses matériaux, on 25 bâtira des chaumières pour l'homme utile, pour le laboureur, pour le vigneron; le parc de ses pères, on le rasera, on le sciera en petits morceaux, on le brûlera dans la cheminée des bons bourgeois qui ont gagné de quoi acheter du bois. J'en ferai venir quelques stères pour 30 ma consommation personnelle.

ANTOINETTE. Mais il croira que c'est une vengeance...

17 *messieurs* would naturally not be used of persons long dead, and here displays a vulgar lack of tact.

POIRIER.   Il aura raison.

ANTOINETTE.   Il croira que c'est moi...

VERDELET (*bas, à Antoinette*).   Sois donc tranquille, mon enfant.

5 POIRIER.   Je vais voir si les affiches sont prêtes, des affiches énormes dont nous couvrirons les murs de Paris. — « A vendre, le château de Presles ! »

VERDELET.   Il est peut-être déjà vendu.

POIRIER.   Depuis hier soir? Allons donc! je vais 10 chez l'imprimeur.

SCÈNE II

VERDELET, ANTOINETTE

VERDELET.   Ton père est absurde! si on le laissait faire, il rendrait tout rapprochement impossible entre ton mari et toi.

ANTOINETTE.   Qu'espères-tu donc, mon pauvre Tony? 15 Mon amour est tombé de trop haut pour pouvoir se relever jamais.   Tu ne sais pas ce que monsieur de Presles était pour moi...

VERDELET.   Mais si, mais si, je le sais.

ANTOINETTE.   Ce n'était pas seulement un mari, c'était 20 un maître dont j'aurais été fière d'être la servante.   Je ne l'aimais pas seulement, je l'admirais comme le représentant d'un autre âge.   Ah! Tony, quel réveil!

UN DOMESTIQUE (*entrant*).   Monsieur le marquis demande si madame peut le recevoir?

25 ANTOINETTE.   Non.

VERDELET.   Reçois-le, mon enfant. (*Au domestique.*) Monsieur le marquis peut entrer. (*Le domestique sort.*)

ANTOINETTE.   A quoi bon? (*Le marquis entre.*)

28 See *bon.*

GASTON.   Rassurez-vous, madame, vous n'aurez pas
longtemps l'ennui de ma présence.   Vous l'avez dit hier,
vous êtes veuve, et je suis trop coupable pour ne pas
sentir que votre arrêt est irrévocable.   Je viens vous dire
5 adieu.

VERDELET.   Comment, monsieur?

GASTON.   Oui, monsieur, je prends le seul parti honorable qui me reste, et vous êtes homme à le comprendre.

VERDELET.   Mais, monsieur...

10   GASTON.   Je vous entends...   Ne craignez rien de
l'avenir, et rassurez monsieur Poirier.   J'ai un état, celui
de mon père: soldat.   Je pars demain pour l'Afrique
avec monsieur de Montmeyran, qui me sacrifie son congé.

VERDELET (*bas, à Antoinette*).   C'est un homme de
15 cœur.

ANTOINETTE (*bas*).   Je n'ai jamais dit qu'il fût lâche.

VERDELET.   Voyons, mes enfants...ne prenez pas de
résolutions extrêmes...   Vos torts sont bien grands,
monsieur le marquis, mais vous ne demandez qu'à les
20 réparer, j'en suis sûr.

GASTON.   Ah! s'il était une expiation! (*Un silence.*)
Il n'en est pas, monsieur. (*A Antoinette.*) Je vous laisse
mon nom, madame, vous le garderez sans tache.   J'emporte le remords d'avoir troublé votre vie, mais vous êtes
25 jeune, vous êtes belle, et la guerre a d'heureux hasards.

9 Verdelet fears that Gaston may harbor thoughts of suicide; cf.
page 92, line 29 ff. — 21 *il est* always in higher diction (*style soutenu*)
for *il y a.* — 25 Gaston alludes to the possibility of his death in battle
and Antoinette's complete release from her marriage bonds.

SCÈNE III

LES MÊMES, LE DUC

LE DUC.   Je viens te chercher.

GASTON.   Allons!   (*Tendant la main à Verdelet.*)
Adieu, monsieur Verdelet.   (*Ils s'embrassent.*)   Adieu,
madame, adieu pour toujours.

5   LE DUC.   Il vous aime, madame.

GASTON.   Tais-toi!

LE DUC.   Il vous aime éperdument...   En sortant de
l'abîme dont vous l'avez tiré, ses yeux se sont ouverts,
il vous a vue telle que vous êtes.

10   ANTOINETTE.   Mademoiselle Poirier l'emporte sur madame de Montjay?... quel triomphe!...

VERDELET.   Ah! tu es cruelle!

GASTON.   C'est justice, monsieur.   Elle était digne de
l'amour le plus pur, et je l'ai épousée pour son argent.
15 J'ai fait un marché! un marché que je n'ai pas même
eu la probité de tenir.   (*A Antoinette.*)   Oui, le lendemain de notre mariage, je vous sacrifiais, par forfanterie
de vice, à une femme qui ne vous vaut pas.   C'était trop
peu de votre jeunesse, de votre grâce, de votre pureté:
20 pour éclairer ce cœur aveugle, il vous a fallu en un jour
me sauver deux fois l'honneur.   Quelle âme assez basse
pour résister à tant de dévouement? et que prouve mon
amour, qui puisse me relever à vos yeux?   En vous

18 *C'était...de:* see *trop.* — 21 He refers to her generosity in re-
deeming his pledge to his creditors, and to the destruction of the fatal
letter. — 22 f. *et que prouve...yeux?* The construction is plain, i.e.,
Qu'est-ce que mon amour prouve qui (= *Quelle preuve mon amour peut-
il vous donner qui*) *puisse*, etc.   The meaning (in some editions dis-
torted beyond recognition) clearly is: "and what does my love prove
that might...? = my love proves nothing — i.e., is not a test — that

aimant, je fais ce que tout homme ferait à ma place; en
vous méconnaissant, je fais ce que n'eût fait personne.
Vous avez raison, madame, méprisez un cœur indigne de
vous; j'ai tout perdu, jusqu'au droit de me plaindre, et
5 je ne me plains pas... Viens, Hector.

LE DUC. Attends... Savez-vous, où il va, madame?
Sur le terrain.

VERDELET ET ANTOINETTE. Sur le terrain?

GASTON. Que fais-tu?

10 LE DUC. Puisque ta femme ne t'aime plus, on peut
bien lui dire... Oui, madame, il va se battre.

ANTOINETTE. Ah! Tony, sa vie est en danger...

LE DUC. Que vous importe, madame? Tout n'est-il
pas rompu entre vous?

15 ANTOINETTE. Oui, oui, je le sais, tout est rompu...
Monsieur de Presles peut disposer de sa vie... Il ne
me doit plus rien...

LE DUC (*à Gaston*). Allons, viens... (*Ils vont jusqu'à la porte.*)

20 ANTOINETTE. Gaston!

LE DUC. Tu vois bien qu'elle t'aime encore!

GASTON (*se jetant à ses pieds*). Ah! madame, s'il est
vrai, si je ne suis pas sorti tout à fait de votre cœur,
dites un mot...donnez-moi le désir de vivre. (*Entre
25 Poirier.*)

SCÈNE IV

LES MÊMES, POIRIER

POIRIER. Qu'est-ce que vous faites donc là, monsieur
le marquis?

ANTOINETTE. Il va se battre!

could again raise me in your esteem. (For to love you would be but
natural:) In loving you, etc."

POIRIER.   Un duel! cela t'étonne? Les maîtresses,
les duels, tout cela se tient. Qui a terre a guerre.

ANTOINETTE.   Que voulez-vous dire, mon père?...
Supposeriez-vous...?

5   POIRIER.   J'en mettrais ma main au feu.

ANTOINETTE.   Ce n'est pas vrai, n'est-ce pas, monsieur? Vous ne répondez pas?

POIRIER.   Crois-tu qu'il aura la franchise de l'avouer?

GASTON.   Je ne sais pas mentir, madame. Ce duel
10 est tout ce qui reste d'un passé odieux.

POIRIER.   Il a l'impudence d'en convenir! Quel cynisme!

ANTOINETTE.   Et on me dit que vous m'aimez!...
Et j'étais prête à vous pardonner au moment où vous
alliez vous battre pour votre maîtresse!... On faisait
15 de cette dernière offense un piège à ma faiblesse... Ah!
monsieur le duc!

LE DUC.   Il vous l'a dit, madame, ce duel est le reliquat d'un passé qu'il déteste et qu'il voudrait anéantir.

VERDELET (au marquis).   Eh bien, monsieur, c'est bien
20 simple; si vous n'aimez plus madame de Montjay, ne
vous battez pas pour elle.

GASTON.   Quoi! monsieur, faire des excuses!

VERDELET.   Il s'agit de donner à Antoinette une preuve
de votre sincérité; c'est la seule que vous puissiez lui
25 offrir.   Le sacrifice qu'on vous demande est très grand,
je le sais; mais, s'il l'était moins, pourrait-il racheter vos
torts?

POIRIER (à part).   Voilà cet imbécile qui va les raccommoder, maintenant!

30   GASTON.   Je ferais avec joie le sacrifice de ma vie pour
réparer mes fautes, mais celui de mon honneur, la marquise de Presles ne l'accepterait pas.

2 *Qui a terre a guerre*, proverb, in the original form *Qui terre a
guerre a ;* see *terre.* — 5 A certain form of mediæval ordeal.

ANTOINETTE.   Et si vous vous trompiez, monsieur?
si je vous le demandais?

GASTON.   Quoi! madame, vous exigeriez?...

ANTOINETTE.   Que vous fassiez pour moi presque
5 autant que pour madame de Montjay? Oui, monsieur.
Vous consentiez pour elle à renier le passé de votre
famille, et vous ne renonceriez pas pour moi à un duel...
à un duel qui m'offense? Comment croirai-je à votre
amour, s'il est moins fort que votre vanité?

10 POIRIER.   D'ailleurs, vous serez bien avancé quand
vous aurez attrapé un mauvais coup! Croyez-moi, prudence est mère de sûreté.

VERDELET (à part).   Vieux serpent!

GASTON.   Voilà ce qu'on dirait, madame.

15 ANTOINETTE.   Qui oserait douter de votre courage?
N'avez-vous pas fait vos preuves?

POIRIER.   Et que vous importe l'opinion d'un tas de
godelureaux? Vous aurez l'estime de mes amis, cela
doit vous suffire.

20 GASTON.   Vous le voyez, madame, on rirait de moi,
vous n'aimeriez pas longtemps un homme ridicule.

LE DUC.   Personne ne rira de toi. C'est moi qui por-
terait tes excuses sur le terrain, et je te promets qu'elles
n'auront rien de plaisant.

25 GASTON.   Comment! tu es aussi d'avis...?

LE DUC.   Oui, mon ami: ton duel n'est pas de ceux
qu'il ne faut pas arranger, et le sacrifice dont se contente
ta femme ne touche qu'à ton amour-propre.

GASTON.   Des excuses, sur le terrain!...

---

12 f. Observe the omission of the article in proverbs. Cf. also
page 102, line 2. — 13 The serpent is the symbol of hypocrisy. Verdelet sees clearly that Poirier, by uttering such cowardly sentiments,
means to send Gaston to the duel, to prevent his reconciliation with
Antoinette.

POIRIER. J'en ferais, moi...

VERDELET. Décidément, Poirier, tu veux forcer ton gendre à se battre?

POIRIER. Moi? Je fais tout ce que je peux pour l'en 5 empêcher.

LE DUC. Allons, Gaston, tu n'as pas le droit de refuser cette marque d'amour à ta femme.

GASTON. Eh bien!... non! c'est impossible.

ANTOINETTE. Mon pardon est à ce prix.

10 GASTON. Reprenez-le donc, madame, je ne porterai pas loin mon désespoir.

POIRIER. Ta ra ta ta. Ne l'écoute pas, fifille; quand il aura l'épée à la main, il se défendra malgré lui.

ANTOINETTE. Si madame de Montjay vous défendait 15 de vous battre, vous lui obéiriez. Adieu.

GASTON. Antoinette...au nom du ciel!...

LE DUC. Elle a mille fois raison.

GASTON. Des excuses! moi!

ANTOINETTE. Ah! vous n'avez que de l'orgueil!

20 LE DUC. Voyons, Gaston, fais - toi violence. Je te jure que moi, à ta place, je n'hésiterais pas.

GASTON. Eh bien... A un Pontgrimaud!... Va sans moi. (*Il tombe dans un fauteuil.*)

LE DUC (*à Antoinette*). Eh bien! madame, êtes-vous 25 contente de lui?

ANTOINETTE. Oui, Gaston, tout est réparé. Je n'ai plus rien à vous pardonner, je vous crois, je suis heureuse, je vous aime. (*Elle lui prend la tête dans ses mains*

---

22 *A un Pontgrimaud!* Gaston regards the sacrifice as all the greater since he, the marquis de Presles, must tender an apology to such a fellow as Pontgrimaud, whose low social position increases, not lessens, the difficulty. Less overcome with emotion, Gaston might exclaim : "See how much I must love you to humiliate myself before such a wretched creature!"

et l'embrasse au front.)   Et, maintenant, va te battre, va!...

GASTON (*bondissant*).   Oh! chère femme, tu as le cœur de ma mère!

5 ANTOINETTE.   Celui de la mienne, monsieur...

POIRIER (*à part*).   Que les femmes sont bêtes, mon Dieu!

GASTON .(*au duc*).   Allons vite! nous arriverons les derniers.

10 ANTOINETTE.   Vous tirez bien l'épée, n'est-ce pas?

LE DUC.   Comme Saint-Georges, madame, et un poignet d'acier! Monsieur Poirier, priez pour Pontgrimaud.

ANTOINETTE (*à Gaston*).   N'allez pas tuer ce pauvre 15 jeune homme, au moins.

GASTON.   Il en sera quitte pour une égratignure, puisque tu m'aimes. Partons, Hector. (*Entre un domestique avec une lettre sur un plat d'argent.*)

ANTOINETTE.   Encore une lettre?

20 GASTON.   Ouvrez-la vous-même.

ANTOINETTE.   C'est la première, monsieur.

GASTON.   Oh! j'en suis sûr.

ANTOINETTE (*ouvre la lettre*).   C'est M. de Pontgrimaud.

25 GASTON.   Bah!

ANTOINETTE (*lisant*).   « Mon cher marquis, Nous avons fait tous les deux nos preuves. Je n'hésite donc pas à vous dire que je regrette un moment de vivacité...»

30 GASTON.   Oui, de ma part.

ANTOINETTE.   « Vous êtes le seul homme du monde à

1 f. Antoinette here, for the first and only time, uses the second person singular in addressing her husband. On this passage cf. Introduction, page 14, note (*b*).

qui je consentisse à faire des excuses. Et je ne doute
pas que vous ne les acceptiez aussi galamment qu'elles
vous sont faites.»

GASTON.   Ni plus ni moins.

5   ANTOINETTE.   « Tout à vous de cœur, Vicomte de
Pontgrimaud.»

LE DUC.   Il n'est pas vicomte, il n'a pas de cœur, il
n'a pas de Pont; mais il est Grimaud, sa lettre finit bien.

VERDELET (à Gaston).   Tout s'arrange pour le mieux,
10 mon cher enfant: j'espère que vous voilà corrigé?

GASTON.   A tout jamais, cher monsieur Verdelet. A
partir d'aujourd'hui, j'entre dans la vie sérieuse et calme;
et pour rompre irrévocablement avec les folies de mon
passé, je vous demande une place dans vos bureaux.

15   VERDELET.   Dans mes bureaux! vous? un gentilhomme?

GASTON.   Ne dois-je pas nourrir ma femme?

VERDELET.   C'est bien, monsieur le marquis.

POIRIER (à part).   Exécutons-nous. (Haut.) C'est
20 très bien, mon gendre; voilà des sentiments véritablement libéraux. Vous étiez digne d'être un bourgeois;
nous pouvons nous entendre. Faisons la paix et restez
chez moi.

GASTON.   Faisons la paix, je le veux bien, monsieur.
25 Quant à rester ici, c'est autre chose. Vous m'avez fait
comprendre le bonheur du charbonnier qui est maître chez
lui. Je ne vous en veux pas, mais je m'en souviendrai.

POIRIER.   Et vous emmenez ma fille? vous me laissez
seul dans mon coin?

---

1 *consentisse :* cf. page 23, line 5. — 5 The French are very particular about the proper use of the different formulæ of closing a
letter. *Tout à vous de cœur* (see *cœur*) would be used only between
friends. — 7 *Il . . . Pont:* see *pont.* — 26 f. *Charbonnier est maître chez
soi :* proverb.

ANTOINETTE. J'irai vous voir souvent, mon père.

GASTON. Et vous serez toujours le bienvenu chez moi.

POIRIER. Ma fille va être la femme d'un commis-marchand!

5 VERDELET. Non, Poirier; ta fille sera châtelaine de Presles. Le château est vendu depuis ce matin, et, avec la permission de ton mari, Toinon, ce sera mon cadeau de noces.

ANTOINETTE. Bon Tony!... Vous me permettez 10 d'accepter, Gaston?

GASTON. Monsieur Verdelet est de ceux envers qui la reconnaissance est douce.

VERDELET. Je quitte le commerce, — je me retire chez vous, monsieur le marquis, si vous le trouvez bon, et 15 nous cultiverons vos terres ensemble: c'est un métier de gentilhomme.

POIRIER. Eh bien, et moi? on ne m'invite pas?... Tous les enfants sont des ingrats, mon pauvre père avait raison.

20 VERDELET. Achète une propriété, et viens vivre auprès d'eux.

POIRIER. Tiens, c'est une idée.

VERDELET. Pardieu! tu n'as que cela à faire: car tu es guéri de ton ambition, je pense.

25 POIRIER. Oui, oui. (*A part.*) Nous sommes en quarante-six; je serai député de l'arrondissement de Presles en quarante-sept, et pair de France en quarante-huit.

7 f. By French law a woman needs her husband's consent to her accepting a gift. Verdelet considers the marriage consummated only now after Gaston has learned what a treasure he possesses in his wife. — 18 A delightful bit of unconscious self-conviction. — 27 *quarante-huit:* the revolution of 1848 abolished the Chamber of Peers. Poirier's deft calculation must have struck a French audience in the fifties as highly amusing.

VOCABULARY

NOTE. — Adverbs in *-ment* are not given separately, as their meaning is easily understood from the adjective form; for those ending in *-amment, -emment* consult adjectives ending in *-ant, -ent*. Verbs are given in the infinitive; the student is supposed to be familiar with the forms of regular and irregular verbs. Phrases in which a noun and a verb occurs will be found under the noun.

A

à, *prep.*, to, at, in, with; **je le ferai — moi seul**, I'll do it alone; **— nous deux**, we two; **— la...**, in the manner of.

abattre, *v.*, to throw down, to cast down; **s'—**, to fall, rush down (**à**, upon).

abîme, *m.*, abyss.

abolir, *v.*, to abolish.

abominable, *adj.*, abominable.

abord: d'—, *adv.*, first, at first; **tout d'—**, from the start.

aborder, *v.*, to accost, to broach.

aboyer, *v.*, to bark (**devant**, at).

abri, *m.*, shelter; **mettre à l'— de**, to shield, protect from.

absence, *f.*, absence.

absolu, **-e**, *adj.*, absolute; **—ment**, *adv.*, positively.

absorber, *v.*, to absorb; **absorbé**, *pple.*, lost in thoughts.

abstention, *f.*, abstinence, retirement, standing aloof.

absurde, *adj.*, absurd.

accepter, *v.*, to accept.

accompagner, *v.*, to accompany.

accord, *m.*, accord, harmony; **d'—**, granted.

accorder, *v.*, to grant.

accueillir, *v.*, to entertain.

accuser, *v.*, to accuse, to reproach, to blame.

acheter, *v.*, to buy.

acier, *m.*, steel; **un poignet d'—**, a wrist like steel.

acquérir, *v.*, to acquire.

acquitter, *v.*, to settle; **s'—**, to fulfill one's obligations, to show one's self grateful.

acte, *m.*, act.

acti-f, -ve, *adj.*, active.

action, *f.*, action.

activité, *f.*, activity.

adieu, *adv.*, good-by, farewell; **dire —**, to bid farewell.

administrer, *v.*, to administer, to manage.

admirable, *adj.*, admirable.

admiration, *f.*, admiration.

admirer, *v.*, to admire.

adorer, *v.*, to adore.

adosser: s'—, *v.*, to lean (**à**, against).

adresse, *f.*, address.

adresser, *v.*, to address, to direct.

adultère, *m.*, adultery.

adversaire, *m.*, adversary, opponent.

affaire, *f.*, affair; *pl.* business; **avoir — à,** to have to do with.

affection, *f.*, affection.

affiche, *f.*, placard, poster.

affront, *m.*, affront.

afin que, *conj.*, in order that.

Afrique, *f.*, Africa.

agacer, *v.*, to provoke, to irritate.

âge, *m.*, age, epoch.

agir, *v.*, to act; **il s'agit de,** it is a question of, it concerns.

agiter, *v.*, to agitate.

agréable, *adj.*, agreeable, pleasant.

agrément, *m.*, liking, ornament; **arts d'—,** (mere) accomplishments.

ah, *int.*, ah, oh, alas.

aider, *v.*, to aid.

aïeul, *m.*, *pl.* **aïeux,** sire, forefather.

ailleurs, *adv.*, elsewhere; **d'—,** besides.

aimable, *adj.*, amiable, pleasant; **que c'est — à vous,** how nice of you.

aimer, *v.*, to love, to like; **— mieux,** to like better, to prefer.

ainsi, *adv.*, so, thus.

air, *m.*, air; look, appearance; **— de famille,** family resemblance; **tu n'en as pas l'— bien sûr,** you do not look so very sure; **prendre l'—,** to take an airing.

aise, *f.*, ease, comfort, pleasure; **à votre —,** just as you please.

aise, *adj.*, **bien —,** glad, happy, pleased.

ajouter, *v.*, to add.

album, *m.*, album.

aller, *v.*, to go, to go ahead; **s'en —,** to go away; **tu vas voir,** you will see; **comment allez-vous?** how do you do? **comme il y va!** how he plunges into it! **il y va de sa ruine,** it is a question of her ruin; **allons donc!** impossible! you don't mean it!

alors, *adv.*, then.

amant, *m.*, lover.

amasser, *v.*, to lay up, to accumulate.

ambassade, *f.*, embassy.

ambitieu-x, -se, *adj.*, ambitious.

ambition, *f.*, ambition.

âme, *f.*, soul.

amende, *f.*, fine; **se mettre à l'—,** to atone for.

amener, *v.*, to lead.

ami, *m.*, friend; dear, sweetheart.

amie, *f.*, friend.

amitié, *f.*, friendship; **faites-nous l'—,** do us the favor.

amollir: s'—, *v.*, to grow effeminate.

amour, *m.*, love; **—-propre,** self-love, selfishness.

amoureu-x, -se, *adj.*, in love; **devenir — de,** to fall in love with.

amuser, *v.*, to amuse.

an, *m.*, year.

ancien, -ne, *adj.*, old, former.

anéantir, *v.*, to annihilate.

angoisse, *f.*, anguish, pang.

année, *f.*, year.

annoncer, *v.*, to announce.

apercevoir: s'— de, *v.*, to perceive, to notice.

apôtre, *m.*, apostle; **faire le bon —,** to play the angel of peace.

appartement, *m.*, apartments, flat.

appartenir, *v.*, to belong; **il m'appartient,** it is my business.

appeler, *v.*, to call, to appeal to; **s'—,** to be called.

appointement, *m.*, salary.

apporter, *v.,* to bring.

apprendre, *v.,* to learn, to teach, to inform.

approcher: s'— de, *v.,* to approach.

approuver, *v.,* to approve of.

appui, *m.,* support.

après, *prep., adv.,* after; —? what else? **d'—,** according to; **— toi, mon bon!** I'll cede the palm to you, my dear fellow.

après-midi, *f.,* afternoon.

arabe, *m.,* Arab horse (the most highly prized breed of horses in Europe); usurer (*fam.*).

arbre, *m.,* tree; **— à fruit,** fruit-tree.

arche, *f.,* ark.

argent, *m.,* silver, money.

arme, *f.,* weapon, arm.

armée, *f.,* army.

arquebuse, *f.,* arquebuse; **coup d'—,** arquebuse shot.

arracher, *v.,* to tear away (à, from).

arranger, *v.,* to arrange, to settle; **s'—,** to be settled peaceably.

arrêt, *m.,* decree.

arrêter, *v.,* to stop, to resolve; **s'—,** to stop; **mon plan est arrêté,** my mind is made up.

arrière-pensée, *f.,* mental reservation, secret thought, afterthought.

arriver, *v.,* to arrive, to succeed; **encore un d'arrivé,** another one who has succeeded.

arrondir, *v.,* to round out.

arrondissement, *m.,* circuit, district.

art, *m.,* art. [trict.

artiste, *m.,* artist.

aspirer, *v.,* to aspire, to strive (à, after).

assaut, *m.,* assault, attack; **livrer un —,** to make an attack.

asseoir: s'—, *v.,* to sit down.

assez, *adv.,* enough, rather, quite.

assiette, *f.,* plate.

assis, -s, *pple. of* **asseoir,** sitting, seated.

assister, *v.,* to assist, to be present.

associé, *m.,* associate, partner.

assurer, *v.,* to assure; **s'— de,** to ascertain.

astronomie, *f.,* astronomy.

attacher, *v.,* to attach.

atteindre, *v.,* to attain, to reach.

atteler, *v.,* to put the horses to.

attendant: en —, *adv.,* in the meantime.

attendre: s'— à, *v.,* to wait for, to expect; **attends donc!** just wait!

attention, *f.,* attention.

attirer, *v.,* to attract, to lure, to invite.

attrait, *m.,* attraction.

attraper, *v.,* to get, to catch.

attribuer, *v.,* to attribute.

au, *contraction of* à le.

aucun, -e, *adj.,* any; *with* **ne,** not any, no.

aujourd'hui, *adv.,* to-day.

aumône, *f.,* alms; **faire l'—,** to give alms.

auner, *v.,* to measure with a yard-stick.

auprès de, *prep.,* near, by the side of.

aussi, *adv.,* also, hence; **—... que,** just as ... as.

autant, *adv.,* as much, so much; **d'— moins,** all the less.

autoriser: s'— de, *v.,* to take power from.

autour de, *prep.,* around, about.

autre *adj.,* other; **c'est — chose,** that's different, that's another thing.

autrefois, *adv.,* formerly.

avance, *f.,* advance; **d'—,** in advance.

avancer, *v.,* to advance; **bien avancé,** nicely off.

avant, *prep.,* before; **— de partir,** before leaving.

avec, *prep.,* with.

avenir, *m.,* future.

aventure, *f.,* adventure.

aventureu-x, -se, *adj.,* adventurous.

avertir, *v.,* to warn, to inform.

aveugle, *adj.,* blind.

avis, *m.,* opinion.

avoir, *v.,* to have, to get; **qu'as-tu donc?** what is the matter with you, pray? **il n'a que vingt ans,** he is but twenty years old.

avoué, *m.,* lawyer.

avouer, *v.,* to confess, to own.

avril, *m.,* April.

B

bah, *int.,* oh well, pshaw.

bâiller, *v.,* to yawn.

baiser, *v.,* to kiss.

baisser, *v.,* to cast down.

bamboche, *f.,* spree, fun.

bande, *f.,* belt, strip; band, gang; **— noire,** a real estate company that made a specialty of buying up and parceling out large estates.

bandit, *m.,* bandit, thief, robber.

banque, *f.,* bank.

banquier, *m.,* banker.

barbue, *f.,* sole (a sea fish).

baron, *m.,* baron.

barque, *f.,* boat, barge.

barreau, *m.,* bar (law).

barrer, *v.,* to bar.

bas, -se, *adj.,* low, base; *adv.,* in a low voice.

bataille, *f.,* battle.

batelier, *m.,* boatman.

bâtir, *v.,* to build.

battre, *v.,* to beat; **se —,** to fight a duel.

Baucis, *see* **Philémon.**

Bayonne, *pr. n.,* city in southern France.

beau, bel, -le, *adj.,* beautiful, fine; **avoir — faire qc.,** to do something in vain; **tu as — dire,** say what you will.

beaucoup, *adv.,* much, many, very, greatly.

beau-père, *m.,* father-in-law.

bénédiction, *f.,* blessing.

besogne, *f.,* work, business.

besoin, *m.,* want, need, necessity; **avoir — de,** to need.

bête, *f.,* stupid, idiot.

bêtement, *adv.,* stupidly, obstinately.

bêtise, *f.,* stupidity, utter folly.

betterave, *f.,* beet.

bien, *adv.,* well; very; very much, very many; **c'est —,** that's good; **il y est —,** isn't he there? **ça te fera du —,** that'll do you good.

bienfaisance, *f.,* benefit, charity; **bureau des —s,** charitable association.

bientôt, *adv.,* soon; **à —,** good-by for a little while.

bienvenu, -e, *adj.,* welcome.

bilan, *m.,* balance.

billet, *m.,* promissory note.

blague, *f.,* bladder; disrespectful mockery at things which one inwardly does, or should, respect; **défoncer les —s,** to prick the bubbles, to make an end of all empty mockery.

blâmer, *v.*, to blame.

blan-c, -che, *adj.*, white.

blesser, *v.*, to hurt.

bleu, -e, *adj.*, blue.

bœuf, *m.*, beef.

bohémien, -ne, *adj.*, Bohemian.

boire, *v.*, to drink.

bois, *m.*, wood, forest; **Bois (de Boulogne)**, a charming park west of Paris, the most popular place for pleasure walks, rides, and drives of the French capital.

bon, -ne, *adj.*, good (à, for); **mon —**, my dear fellow; **à quoi —?** what is the use? **le — temps**, the good old times.

bondir, *v.*, to jump up, to leap up.

bonheur, *m.*, happiness.

bonhomie, *f.*, good nature, simplicity.

bonhomme, *m.*, old fellow (not " good man," which is **homme de bien**); **le — Poirier**, old Poirier; **son — de père**, her good old father.

bonjour, *adv.*, good morning, good day; **bien le —**, a very good day.

bonsoir, *adv.*, good evening.

bonté, *f.*, kindness.

bord, *m.*, shore; class, set.

bouder, *v.*, to be (remain) sulky with.

bouffée, *f.*, whiff, breeze; **la bonne — de printemps!** what a glorious spring breeze!

bouger, *v.*, to budge, to stir.

boule, *f.*, ball; **être en —**, to be rolled up like a hedgehog showing his bristles.

bouleverser, *v.*, to upset, trouble, agitate.

Bourdonnais: **rue des —**, *pr. n.*,

Bourdonnais Street, the headquarters of wealthy merchants.

bourgeois, *m.*, man of the middle class; cf. Introd., § 6, n. 1.

bourgeois, -e, *adj.*, philistine.

bourse, *f.*, purse.

bout, *m.*, end.

bouteille, *f.*, bottle.

boutique, *f.*, shop.

braiser, *v.*, to stew.

bras, *m.*, arm.

brave, *adj.*, brave, honest, noble; **étoile des —s (étoile de l'honneur)**, order of the Legion of Honor, founded in 1802, by Napoleon I., and still conferred by the president for eminent service to the state.

br-ef, -ève, *adj.*, brief; *adv.*, in brief.

bribes, *pl.*, scant remnants.

bride, *f.*, bridle; **laisser la — sur le cou à qq.**, to give one full rein.

brigadier, *m.*, cavalry corporal.

brigand, *m.*, brigand, robber.

brigandage, *m.*, robbery.

briser, *v.*, to break, to break off.

bruit, *m.*, noise.

brûler, *v.*, to burn; **se — la cervelle**, to blow out one's brains.

brutal, -e, *adj.*, brutal, coarse, rude.

buissonière, *adj.*: **faire l'école —**, to play truant, to fritter away one's time.

bureau, *m.*, office.

C

c' = ce.

ça, *fam. for* cela; contemptuous when used of a person (" that thing ").

çà, *int.*, now; ah —! well, now!

Indeed! I declare! I say! Before I forget it...

cacher, *v.,* to conceal.

cachet, *m.,* seal.

cadeau, *m.,* present.

cadet, -te, *adj.,* younger; **le — de mes soucis,** my least care.

café, *m.,* café.

câliner, *v.,* to fondle, to cajole.

câlinerie, *f.,* fondness, cajoling.

calme, *adj.,* calm.

calmer, *v.,* to calm.

calomnier, *v.,* to slander.

camarade, *m.,* comrade, chum.

campagnard, *m.,* rustic, country-man.

canapé, *m.,* sofa.

canon, *m.,* cannon; **coup de —** cannon shot.

capital, *m.,* capital.

Capoue, *pr. n.,* Capua, a city in Campania where Hannibal wintered his soldiers after the victory of Cannae (216 B.C.), and where his troops are said to have been made effeminate by the life in idleness and luxury.

câpre, *f.,* caper.

car, *conj.,* for.

caractère, *m.,* character.

carnaval, *m.,* carnival, the time between Epiphany (Jan. 6th) and Ash-Wednesday, devoted to frolic and boisterous merry-making (Shrove Tuesday, **Mardi gras**).

carpe, *f.,* carp.

carrière, *f.,* career.

cas, *m.,* case; **je n'en fais pas de —,** I do not care about it.

casaque, *f.,* military cloak.

cassandre, *m.,* old fool, originally a character of the Italian comedy.

casser, *v.,* to break.

catégorie, *f.,* category (the different classes whose members were eligible to peerage).

catillard, *m.,* large winter pear for cooking.

ce, cet, cette, *pr.,* this, that; **cet homme-ci,** this man, **cet homme-là,** that man; **ce qui,** what (subject); **ce que,** what (object).

ceci, *pr.,* this.

cela, *pr.,* that; **c'est —!** that's it! that's right! there we are!

célébrer, *v.,* to celebrate.

celui, celle, *pl.* **ceux, celles,** *pr.,* this one, that one, the one, these, those. (*For the distinction between* **celui-ci** *and* **celui-là,** *cf.* **ce**).

cent, *card.,* a hundred; **pour —,** per cent.

cependant, *adv.,* however.

cercle, *m.,* circle.

certain, -e, *adj.,* certain.

certes, *adv.,* certainly.

certitude, *f.,* certainty.

cervelle, *f.,* brain.

cessation, *f.,* cessation.

cesser, *v.,* to cease.

cet, -te, *see* **ce.**

ceux, *see* **celui.**

chacun, -e, *pr.,* each.

chagrin, *m.,* grief.

chaîne, *f.,* chain.

chair, *f.,* flesh; **— de poule,** goose-flesh.

chaise, *f.,* chair.

châle, *m.,* shawl.

chambre, *f.,* room; **femme de —,** chambermaid.

champ, *m.,* field.

champion, *m.,* champion.

chance, *f.,* chance; **avoir de la —,** to be lucky.

changer, *v.*, to change ; — de nom, change names.

chanter, *v.*, to sing.

chapeau, *m.*, hat.

chapitre, *m.*, chapter, meeting of monks (*Latin* capitulum); voix au —, a vote, something to say in the matter.

chaque, *adj.*, each.

charbonnier, *m.*, charcoal-burner; — est maître chez soi, a man's house is his castle.

charité, *f.*, charity.

charmant, -e, *adj.*, charming.

charme, *f.*, charm.

chasser, *v.*, to chase away.

chasseur, *m.*, hunter; (military) scouting cavalry, mounted infantry.

château, *m.*, castle.

châtelaine, *f.*, lady of a manor *or* castle.

chat-huant, *m.*, owl.

chauffer, *v.*, to heat.

chaumière, *f.*, hut, cottage.

chauvinisme, *m.*, chauvinism, jingoism (named after Nicolas Chauvin of Rochefort, a veteran of the army of Napoleon I.; name spread through the popular vaudeville *La Cocarde tricolore* (1831, by the Brothers Cogniard), and through Charlet's drawings of French military life where Chauvin appears like "Tommy Atkins").

chemin, *m.*, way, path; en —, about to; en bon —, well under way.

cheminée, *f.*, fireplace.

chenet, *m.*, andiron, firedog.

ch-er, -ère, *adj.*, dear.

chercher, *v.*, to seek, look for; aller (venir) —, to go (come) for, to go (come) to get.

cheval, *m.*, horse.

chevaleresque, *adj.*, chivalrous.

cheveu, *m.*, hair.

chez, *prep.*, with, at the house of; je reste — moi, I remain at home; je vais — moi, I am going home, to my room.

chien, *m.*, dog.

chiffon, *m.*, rag.

chiffre, *m.*, figure.

chinois, *m.*, Chinese.

choisir, *v.*, to choose.

choix, *m.*, choice.

chose, *f.*, thing, matter; quelque —, something.

ci, *adv.*, that makes (*comm.*); *see also* ce, celui.

ciel, *m.*, *pl.* cieux, heaven, sky.

ci-gît, here lies (customary beginning of epitaphs).

cinq, *card.*, five.

cinquante, *card.*, fifty.

clair, -e, *adj.*, clear.

clerc, *m.*, clerk, scholar; pas de —, blunder.

Clichy, *pr. n.*, debtors' prison (in the rue de Clichy).

code, *m.*, code.

cœur, *m.*, heart, courage; ça nous gonfle diablement le —, that makes us deucedly courageous; blesser au —, to hurt to the quick; tout à vous de —, most cordially yours.

coffre-fort, *m.*, safe.

Cogne, *pr. n.*; *cf.* cogner, *v.*, to knock in, to drive in.

coin, *m.*, corner; au — du feu, by the fireside of one's home.

Colbert, Jean Baptiste, 1619-1683, eminent French statesman, minister of finances under Louis XIV.

colère, *f.*, anger.

collet, *m.*, collar.

colonel, *m.*, colonel.
combien, *adv.*, how much.
comédie, *f.*, comedy.
comète, *f.*, comet.
comme, *conj.*, how, like, as.
commencer, *v.*, to commence, to begin.
comment, *conj.*, how.
commerce, *m.*, commerce.
commercial, -e, *adj.*, commercial.
commis-marchand, *m.*, clerk.
commission, *f.*, commission.
commun, -e, *adj.*, common; mettre en —, to put together; du —, of the lowest class, low, vulgar.
compl-et, -ète, *adj.*, complete; au —, in full, in total.
compliment, *m.*, compliment.
composer, *v.*, to compose, compound; intérêt composé, compound interest.
comprendre, *v.*, to comprehend, to understand.
compte, *m.*, account.
compter, *v.*, to count, to figure, to calculate, to count upon, to intend.
comte, *m.*, count.
comtesse, *f.*, countess, wife of a count.
concession, *f.*, concession.
concevoir, *v.*, to conceive, to understand.
concilier, *v.*, to conciliate, to unite.
concordat, *m.*, agreement (between the pope and some temporal sovereign).
condamnation, *f.*, condemnation; passer —, to confess one's self in the wrong.
condamner, *v.*, to condemn.
condescendance, *f.*, condescension.
conduire, *v.*, to conduct, to lead.
confiance, *f.*, confidence, trust.

confidence, *f.*, secret, disclosure.
confier, *v.*, to confide; se — à, to place one's trust in.
confondre, *v.*, to confound; to confuse.
conforme, *adj.*, conforming, befitting.
confus, -e, *adj.*, confused (de, with).
congé, *m.*, furlough; prendre —, to take leave.
connaissance, *f.*, consciousness.
connaître, *v.*, to know, to be (get) acquainted with.
conquête, *f.*, conquest.
consacrer, *v.*, to consecrate.
conscience, *f.*, conscience.
conseil, *m.*, counsel, council; — d'État, board of privy counsellors.
conseiller, *v.*, to advise.
consentement, *m.*, consent.
consentir, *v.*, to consent.
conséquent, -e, *adj.*, consequent; par —, consequently.
considération, *f.*, consideration.
considérer, *v.*, to consider.
consommation, *f.*, consumption.
Constantinople, *pr. n.*, Constantinople.
Constitutionnel, *m.*, title of a newspaper, the chief organ of the conservative party (in 1846 under the editorship of Thiers).
consulter, *v.*, to consult.
contenir, *v.*, to contain, to accommodate.
content, -e, *adj.*, satisfied, pleased.
contentement, *m.*, satisfaction.
contenter: se —, *v.*, to be satisfied (de, with).
conter, *v.*, to tell, to relate.
contester, *v.*, to contest, to deny.
continuer, *v.*, to continue.
contrainte, *f.*, compulsion.

contraire, *adj.,* contrary; au —, on the contrary.

contrarier, *v.,* to contradict, to oppose.

contrat, *m.,* marriage contract.

contre, *prep.,* against.

contribution, *f.,* tax.

convenir, *v.,* to agree (de, to admit; à, to suit, to become).

conversation, *f.,* conversation.

conviction, *f.,* conviction.

copie, *f.,* copy; à la —, at the printer's.

coq, *m.,* cock, rooster; être comme un — en pâte, to live in clover.

coquetterie, *f.,* coquetry.

coquin, *m.,* rascal, scoundrel.

corbeille: — de noce, *f.,* wedding presents.

cordon, *m.,* cord, string.

corps, *m.,* body, corps, company.

corriger, *v.,* to reform.

Corvisart, Jean-Nicolas, —-Desmarets, 1755-1821, body-physician of Napoleon I.

côté, *m.,* side; à — (de), beside; de l'autre —, on the other side.

cou, *m.,* neck.

coucher: se —, *v.,* to go to bed.

coulant, -e, *adj.,* obliging.

couleur, *f.,* color.

coup, *m.,* blow, shot, stroke, thrust; tout à —, suddenly.

coupable, *adj.,* guilty.

coupé, *m.,* coupé, four-wheeled closed carriage with inside seats for two persons.

couper, *v.,* to cut; — en quatre, to cut in four pieces.

couplet, *m.,* couplet.

coupon, *m.,* coupon; — de rentes, government annuity bond.

cour, *f.,* court, courtship; faire la — à, to pay attentions to.

courage, *m.,* courage.

courant, *m.,* current; mettre au —, to inform.

courir, *v.,* to run, to hasten; faire —, to keep race horses.

couronne, *f.,* crown.

cousin, *m.,* cousin.

couteau, *m.,* knife; à —x tirés, with daggers drawn, in mortal enmity.

coûter, *v.,* to cost; — cher, to cost dearly.

couvert, *m.,* cover.

couvrir, *v.,* to cover.

craindre, *v.,* to fear.

créance, *f.,* debt, money owing.

créancier, *m.,* creditor.

créer, *v.,* to create.

crever, *v.,* to burst.

crier, *v.,* to cry, to call out.

crime, *m.,* crime; le grand —! how shocking!

crocodile, *m.,* crocodile.

croire, *v.,* to believe.

croisade, *f.,* crusade.

croiser: se — avec, *v.,* to pass on the way.

croix, *f.,* cross.

croustade, *f.,* crusted tart.

cruel, -le, *adj.,* cruel; il m'en fait voir de —les, he makes me see horrible things, he worries the life out of me.

cuisinier, *m.,* cook, chef, culinary artist.

cuisinière, *f.,* cook.

cultiver, *v.,* to cultivate.

cynisme, *m.,* cynicism.

D

d' = de.

daigner, *v.,* to deign, to condescend.

dame, *f.,* lady.

dame! *int.* (Latin *domina*, Our Lady; cf. English *marry!* from *Mary*), exclamation with a variety of meanings, ranging from *Why!* to *Confound it!*

Dandin: George —, *pr. n.*, see Introd., § 6, note 2.

danger, *m.*, danger.

dans, *prep.*, in, within.

danser, *v.*, to dance.

davantage, *adv.*, more.

de, *prep.*, of, from; some, any; *with infinitive*, to.

débarasser, *v.*, to free, to rid.

débauche, *f.*, revelry.

débauché, *m.*, debauchee, rake.

débiteur, *m.*, debtor.

déboursé, *m.*, disbursement.

debout, *adv.*, standing; **se tenir** —, to keep standing, to stand erect.

décatir, *v.*, to sponge (woolen cloth).

déchirer, *v.*, to tear up.

décider, *v.*, to decide; **décidément**, *adv.*, decidedly.

déclarer, *v.*, to declare.

décocher, *v.*, to discharge, to let fly.

décompter, *v.*, to reckon off; **j'ai compté sans cela, il me faut** —, I have figured without that, now I must revise my figures.

décor, *m.*, decoration, scenery.

découverte, *f.*, discovery.

découvrir, *v.*, to discover.

décrasser, *v.*, to cleanse (said of woolen articles).

dédain, *m.*, disdain, scorn.

dédommager, *v.*, to indemnify.

défaut, *m.*, fault, default; **à — de**, in default of.

défendre, *v.*, to defend, to forbid.

défoncer, *v.*, to prick.

défrayer, *v.*, to defray.

dégager, *v.*, to redeem.

dégoûter, *v.*, to disgust.

déguiser, *v.*, to disguise (**en**, as).

dehors, *adv.*, outside; get out!

déjà, *adv.*, already.

déjeuner, *m.*, breakfast; *v.*, to breakfast.

délicat, **-e**, *adj.*, delicate.

délicatesse, *f.*, delicacy; **il te prend sur le tard des —s exquises**, you are acquiring an exquisite feeling for delicacy in your old days.

délice, *m.*, delight.

délicieu-x, **-se**, *adj.*, splendid.

délustrer, *v.*, to take off the luster of.

demain, *adv.*, to-morrow.

demander, *v.*, to ask, to question, to beg, to request, to demand (**qc. à qq.**, somebody for something); **faire** —, to send for.

demeurer, *v.*, to dwell, to stay.

demi, **-e**, *adj.*, half; **à —-voix**, half-loud.

démission, *f.*, resignation; **donner sa** —, to tender one's resignation.

denier, *m.*, small coin, penny; **au — deux**, one penny for two, at fifty per cent (*obsolete*).

Denis: Monsieur et Madame —, title of a popular song.

dépêcher, *v.*, to dispatch; **se** —, to make haste.

dépenser, *v.*, to spend.

déplaire, *v.*, to displease.

déplorer, *v.*, to deplore.

depuis, *adv.*, *prep.*, since.

député, *m.*, deputy.

derni-er, **-ère**, *adj.*, last, previous; **du — bourgeois**, utterly philistine; **le — des —s**, the lowest of the low.

dérouler, *v.*, to unroll, to undo.

derrière, *prep.*, behind.

des, *contraction of* de les.

désaccord, *m.*, discord.

désagrément, *m.*, disagreeableness.

désavouer, *v.*, to disavow, to disown.

descendre, *v.*, to descend.

déserter, *v.*, to desert.

désespoir, *m.*, despair.

déshériter, *v.*, to disinherit.

déshonorer, *v.*, to dishonor.

désir, *m.*, desire, wish.

désirer, *v.*, to desire.

désœuvrement, *m.*, idleness.

despotisme, *m.*, despotism.

dessert, *m.*, dessert.

destinée, *f.*, destiny, fate.

détachement, *m.*, des petits intérêts, indifference to petty interests.

détester, *v.*, to detest.

détromper, *v.*, to disillusion.

dette, *f.*, debt.

deux, *card.*, two; tous les —, both.

deuxième, *ord.*, second.

devant, *prep.*, before; *adv.*, beforehand.

devenir, *v.*, to become.

déviner, *v.*, to predict, to guess.

dévoiler, *v.*, to disclose, to unravel.

devoir, *m.*, duty; se mettre en —, to feel under moral obligation.

devoir, *v.*, to owe, to be indebted for, to have to, to be obliged; je le dois, I must; il ne doit pas avoir de pareilles bontés pour eux, he is certainly not so kind to them; tu dois comprendre cela, you surely understand that; tu dois avoir lu ça, you have read that, I am sure; tu as dû les connaître, you must certainly have known them; elle doit chanter après dîner, she will of course sing after dinner; il n'a pas dû me condamner, he cannot have condemned me; cela devait arriver, that was sure to come.

dévorer, *v.*, to devour.

dévouement, *m.*, devotion.

diable, *m.*, devil; *int.* —: que —! the deuce! by Jove! voilà le —, there's the deuce of it.

diablement, *adv.*, deucedly.

diantre, *int.*, the deuce.

Dieu, *m.*, God.

différence, *f.*, difference.

difficile, *adj.*, difficult, hard to please, particular.

difficulté, *f.*, difficulty.

digestion, *f.*, digestion; avoir la — gaie, to be in good humor after dinner.

digne, *adj.*, worthy.

dinde, *f.*, turkey (aux marrons, stuffed with chestnuts).

dîner, *m.*, dinner.

dîner, *v.*, to dine.

diplomatique, *adj.*, diplomatic.

dire, *v.*, to say; on dirait, one might think; comme qui dirait, just about; qu'est - ce à —? what does that mean? il n'y a pas à —, there is no doubt; il va sans —, of course.

direct, -e, *adj.*, direct.

diriger, *v.*, to direct.

discipline, *f.*, discipline.

discrétion, *f.*, discretion; je me mets à votre —, I submit entirely to your will.

discussion, *f.*, discussion.

discuter, *v.*, to discuss.

disposer, *v.*, to dispose.

disposition, *f.*, disposition, temper.

distinction, *f.,* distinction.

distraction, *f.,* distraction, diversion.

dix, *card.,* ten.

dix-huit, *card.,* eighteen.

dizaine, *f.,* about ten.

doigt, *m.,* finger.

domestique, *m.,* servant.

domestique, *adj.,* domestic.

donc, *adv.,* then, just, pray; je suis heureux!... et moi —! I am happy!... and I am still more so!

donner, *v.,* to give, to let have; — sur, to look into, to overlook.

dont, *rel.,* whose, of whom, of which.

dorloter, *v.,* to fondle.

dos, *m.,* back; faire le gros —, to round (set up) one's back (like a cat).

dot, *f.,* dowry.

doubler, *v.,* to double.

douceur, *f.,* sweetness, delight.

douleur, *f.,* grief, pain.

doute, *f.,* doubt.

douter, *v.,* to doubt; se — de, to imagine.

dou-x, -ce, *adj.,* sweet, gentle.

douze, *card.,* twelve.

drap, *m.,* cloth, sheet; te voilà dans de beaux —s! there you are in a nice position (" fix ")!

drapeau, *m.,* flag.

droit, *m.,* right.

droit, -e, *adj.,* right.

drôle, *m.,* rogue, rascal, scamp.

drôle, *adj.,* funny.

du, *contraction of* de le.

duc, *m.,* duke.

Ducaillou, *pr. n.,* " Flint."

duel, *m.,* duel.

dur, -e, *adj.,* hard, burdensome.

durer, *v.,* to last.

E

eau, *f.,* water.

ébaubi, -e, *adj.,* dazed, dazzled (de, by) (*fam.*).

éblouir, *v.,* to dazzle.

échapper, *v.,* to escape (à, from).

éclabousser, *v.,* to defile, to sully, to taint.

éclairer, *v.,* to enlighten.

éclat, *m.,* outburst.

éclater, *v.,* to burst out (de rire, laughing).

éclipser, *v.,* to eclipse.

école, *f.,* school.

économie, *f.,* economy, saving; faire des —s, to economize.

écorcher, *v.,* to flay, to skin.

écouter, *v.,* to listen to; — monsieur! listen to you! s'—, to consult one's own inspirations.

écrire, *v.,* to write.

écriteau, *m.,* placard " To let."

écriture, *f.,* handwriting.

écu, *m.,* coin stamped with a shield, usually a coin of three francs, dollar.

écurie, *f.,* stable.

éducation, *f.,* education.

effet, *m.,* effect; en —, indeed.

égal, -e, *adj.,* equal; cela m'est —, that's all the same to me.

égarement, *m.,* mistake, error.

égarer, *v.,* to mislead; s'—, to go astray.

égoïsme, *m.,* selfishness.

égoïste, *m.,* egoist, selfish person.

égratigner, *v.,* to scratch.

égratignure, *f.,* scratch, slight [wound.

eh bien! *int.,* well!

élégance, *f.,* elegance.

élégant, -e, *adj.,* elegant.

élévation, *f.,* elevation.

elle, *pr.,* she, her, it; —s, they, them; —-même, herself, itself.

embarras, *m.,* embarrassment, trouble, disturbance.

embrasser, *v.,* to embrace, to kiss.

emmener, *v.,* to take away.

empailler, *v.,* to stuff.

emparer: s'— de, *v.,* to seize, to take hold of.

empêcher, *v.,* to prevent.

emplacement, *m.,* site.

emploi, *m.,* use, true use, employment.

emporter, *v.,* to take away, to carry; **l'—,** to gain a victory.

empresser: s'—, *v.,* to hasten.

emprunter, *v.,* to borrow.

emprunteur, *m.,* borrower.

en, *prep.,* in; **— Afrique,** in, to Africa; *substitute for the genitive of the personal pronoun,* of him, of her, of it, of them.

encore, *adv.,* again, still, yet; **pas —,** not yet, not even; **— une lettre?** another letter?

encourager, *v.,* to encourage.

endroit, *m.,* place.

enfance, *f.,* childhood.

enfant, *m., f.,* child, boy, girl.

enfer, *m.,* hell.

enfermer, *v.,* to enclose.

enfin, *adv.,* at last, in short.

engagement, *m.,* engagement, obligation.

engager, *v.,* to engage, to pledge; **s'—,** to agree, to enlist.

enjoindre, *v.,* to enjoin (**à,** upon).

enlever, *v.,* to take away, to lift, to raise.

ennemi, *m.,* enemy.

ennui, *m.,* weariness, annoyance.

ennuyer, *v.,* to annoy, to weary; **il m'ennuie,** " he makes me tired"; **s'—,** to feel tired, bored, to have a tedious time of it.

énorme, *adj.,* enormous.

enraciner, *v.,* to root.

enrager, *v.,* to get mad.

ensemble, *adv.,* together.

ensuite, *adv.,* afterwards.

entendre, *v.,* to hear, to understand, to expect.

enterrement, *m.,* funeral.

entêtement, *m.,* stubbornness.

enthousiasme, *m.,* enthusiasm.

enti-er, -ère, *adj.,* entire; **tout —,** entirely.

entraîner, *v.,* to carry away.

entre, *prep.,* between.

entrée, *f.,* entry; **—s,** usual term for first course after the soup.

entrer, *v.,* to enter.

entretien, *m.,* entertainment, conversation, discourse.

envers, *m.,* wrong side; **se mettre la cervelle à l'—,** to rack one's brains.

envers, *prep.,* towards.

envie, *f.,* envy, desire; **porter — à,** to envy.

environ, *adv.,* approximately.

envoyer, *v.,* to send.

épanchement, *m.,* effusion.

épaule, *f.,* shoulder; **lever les —s,** to shrug one's shoulders.

épée, *f.,* sword; **coup d'—,** swordstroke; **tirer bien l'—,** to be a good swordsman; **se passer son — au travers du corps,** to run one's sword through his body.

éperdu, -e, *adj.,* passionate, desperate.

épiderme, *m.,* skin; **avoir l'— délicat,** to be sensitive.

épinard, *m.,* spinach.

épingle, *f.,* pin; **coup d'—,** pinprick.

épouser, *v.,* to marry.

éprouver, *v.,* to try.

épuiser, *v.,* to exhaust.

erreur, *f.,* error, mistake.

escalier, *m.*, stairway ; — de service, servants' stairway.

escient, *m.*, knowledge ; à bon —, wittingly.

esclave, *m.*, slave.

espalier, *m.*, trellis.

espèce, *f.*, species, kind, specie ; *pl.* cash.

espérance, *f.*, hope.

espérer, *v.*, to hope.

esprit, *m.*, spirit, wit ; faire de l'—, to play the wit ; avoir de l'—, to be witty ; bel —, culture, refinement.

essayer, *v.*, to try.

essentiel, -le, *adj.*, essential.

estime, *f.*, respect ; —-propre, self-respect.

et, *conj.*, and.

établir, *v.*, to establish.

étage, *m.*, story.

état, *m.*, state, condition ; en —, in (good) condition, able ; État, state as a political unit ; homme d'—, statesman.

été, *m.*, summer.

éternel, -le, *adj.*, eternal, everlasting.

éternité, *f.*, eternity.

étoffer, *v.*, to stuff.

étoile, *f.*, star ; — des braves, *see* brave.

étonner, *v.*, to astonish ; s'— de, to be surprised at.

étourderie, *f.*, heedless act.

étourdi-, -e, *adj.*, inconsiderate, thoughtless, reckless.

étourneau, *m.*, starling, lightminded, inconsiderate youth.

étrange, *adj.*, strange.

étrang-er, *m.*, -ère, *f.*, stranger.

être, *m.*, creature.

être, *v.*, to be ; *with past participle*, to have ; soit, be it so, conceded ; il est de la famille, he belongs to the family ; je suis à eux, I am at their disposal ; à qui est l'hôtel ? whose is the house ? êtes-vous d'enterrement ? have you just returned from a funeral ? il a été se plaindre ailleurs, he has gone elsewhere to complain (*fam.*) ; regarde où j'en suis, see what I have come to ; il est une expiation, there is an expiation.

étroit, -e, *adj.*, narrow, intimate.

étudier, *v.*, to study.

eux, *pr.*, they, them.

évêque, *m.*, bishop.

évident, -e, *adj.*, evident.

exaspérer, *v.*, to exasperate.

exaucer, *v.*, to harken to, to grant.

excellent, -e, *adj.*, excellent.

excursion, *f.*, excursion.

excuse, *f.*, excuse, apology ; faire des —s, to apologize.

excuser, *v.*, to excuse.

exécuter, *v.*, to carry out, to execute ; s'—, to put up with the inevitable.

exécution, *f.*, execution.

exemple, *m.*, example, model ; par —, for instance ; par —! upon my honor ! indeed !

exiger, *v.*, to demand, to exact.

existence, *f.*, existence.

expérience, *f.*, experience.

expiation, *f.*, expiation, atonement.

explication, *f.*, explanation.

expliquer, *v.*, to explain.

exprimer, *v.*, to express.

expulser, *v.*, to expel.

exquis, -e, *adj.*, exquisite.

exterminer, *v.*, to exterminate.

extrême, *m. and adj.*, extreme.

F

face, *f.*, face.

fâché, -e, *adj.*, sorry, angry.

fâcher: se —, *v.*, to get angry (de, at, with).

facile, *adj.*, easy.

façon, *f.*, fashion.

faible, *adj.*, feeble, weak (pour, towards).

faiblesse, *f.*, weakness.

faillir, *v.*, to be wanting; il s'en faut d'une bagatelle, it lacks a mere trifle.

faim, *f.*, hunger.

fainéant, *m.*, good-for-nothing.

faire, *v.*, to do, to make, to cause; qu'est-ce que cela vous fait? what does it matter to you? comme te voilà fait! what a get-up! je me suis fait soldat, I have become a soldier; je vous ferai — un tableau, I shall have a picture made for you; il fait beau, it is nice; it is fine weather.

faisan, *m.*, pheasant.

fait, *m.*, fact; au —, indeed; tout à —, entirely; si fait, yes, indeed.

falloir, *v.*, to be necessary; il me faut toute son affection, I need his whole affection.

familiarité, *f.*, familiarity.

famili-er, -ère, *adj.*, familiar.

famille, *f.*, family.

fantaisie, *f.*, fancy.

faquin, *m.*, scoundrel, prig.

farceur, *m.*, clown.

farcir, *v.*, to stuff.

farouche, *adj.*, wild.

fatiguer, *v.*, to fatigue, to weary.

faubourg, *m.*, faubourg.

faute, *f.*, fault.

fauteuil, *m.*, armchair.

fau-x, -sse, *adj.*, false.

feindre, *v.*, to feign.

femme, *f.*, woman; wife.

fenêtre, *f.*, window.

féodalité, *f.*, feudalism.

ferré, -e, *adj.*, well posted.

fesse-mathieu, *m.*, usurer (*from* fesser, to spank).

fête, *f.*, holiday, feast; faire — à, to entertain royally.

feu, *m.*, fire; j'en mettrais la main au —, I should stake my life on it.

feuillage, *m.*, foliage.

février, *m.*, February.

fi! *int.*, fie! shame!

fiacre, *m.*, cab; place de —s, cab-stand.

fichtre! *int.*, the deuce!

fidèle, *adj.*, faithful.

fidélité, *f.*, faithfulness, constancy.

fi-er, -ère, *adj.*, proud.

fièvre, *f.*, fever.

fiévreu-x, -se, *adj.*, feverish.

fifille, *f.*, little girl.

figurer, *v.*, to figure, to calculate.

filet, *m.*, fillet.

fille, *f.*, daughter, girl.

filleule, *f.*, god-daughter.

fils, *m.*, son.

fin, -e, *adj.*, fine, smart.

final, -e, *adj.*, final.

fini, -e, *adj.*, finished, perfect, with body and soul.

finir, *v.*, to end, to finish; il finira par écrire, he will finally write; on finirait par le croire, one might eventually believe it.

fiole, *f.*, phial, bottle.

flairer, *v.*, to smell.

flanelle, *f.*, flannel.

flaque, *f.*, small pool.

flatter, *v.*, to flatter.   [faith.

foi, *f.*, faith; ma —, upon my

foie, *m.*, liver.

fois, *f.*, time; **une bonne —**, once for all; **à la —**, at the same time.

folie, *f.*, folly.

fond, *m.*, ground, background; **à —**, thoroughly.

fonds, *m.*, funds.

Fontenoy, *pr. n.*, a village in Belgium, near Tournay, a few miles from the French frontier, formerly belonging to Austria; victory of the French, 1745, over the Austrians and Dutch.

force, *adv.*, a great deal, a great many.

forcer, *v.*, to force.

forfanterie, *f.*, bragging.

forge, *f.*, forge; *pl.* iron works.

forme, *f.*, form.

fors (*obsolete for* **hors**), *prep.*, except.

fort, -e, *adj.*, strong; *adv.*, much, very; **c'est trop —**, that is too much.

fortune, *f.*, fortune.

fou, *m.*, fool.

fou, fol, -le, *adj.*, foolish, crazy, beside one's self.

fourcher, *v.*, to fork; **la langue m'a fourché**, I have made a slip of the tongue.

fournir, *v.*, to furnish.

fournisseur, *m.*, purveyor, supplier.

fourrer, *v.*, to cram, to thrust, to poke; **être fourré chez**, "to hang around."

frais, *pl.*, expenses; **à peu de —**, cheap, cheaply.

franc, *m.*, franc (about 20 cents).

fran-c, -che, *adj.*, frank, open, sincere.

France, *f.*, France.

franchise, *f.*, frankness.

François, *pr. n.*, Francis.

frapper, *v.*, to strike, to slap.

fredonner, *v.*, to hum.

fricandeau, *m.*, larded veal.

frivole, *adj.*, frivolous.

froid, *m.*, cold.

froid, -e, *adj.*, cold.

froisser, *v.*, to bruise, to hurt, to rumple.

fromage, *m.*, cheese.

front, *m.*, brow, forehead.

frotter: se — à, *v.*, to rub against, to get into contact with.

fruit, *m.*, fruit.

fumée, *f.*, smoke.

funeste, *adj.*, fatal.

furieu-x, -se, *adj.*, furious, terrible.

futile, *adj.*, foolish, shallow-brained.

G

gagner, *v.*, to gain, to win (**qc. à qq.**, something from some one).

gai, -e, *adj.*, gay.

gaieté, *f.*, gayety, cheerfulness; **— de cœur**, sheer wantonness.

galant, -e, *adj.*, noble, honorable, gracious, graceful.

galon, *m.*, stripe, chevron.

ganache, *f.*, lower jaw of a horse, blockhead.

gant, *m.*, glove; **aller comme un —**, to fit like a glove.

garantie, *f.*, security.

garçon, *m.*, boy, youngster, bachelor.

garde, *f.*, care.

garder, *v.*, to guard, to keep; **Dieu m'en garde!** Goodness no!

garnement, *m.*, worthless fellow; **ton — de mari**, that good-for-nothing husband of yours.

garnir, *v.*, to ornament, to fill.

gâter, *v* , to spoil.

gauche, *adj.*, left, awkward, shy.

gendre, *m.*, son-in-law.

gêner, *v.*, to embarrass, to molest; gênant, in the way.

généreu-x, -se, *adj.*, generous.

générosité, *f.*, generosity.

genou, *m.*, knee.

gens, *pl.*, people.

gentil, -le, *adj.*, nice, amiable.

gentilhomme, *m.*, nobleman.

gentilhommerie, *f.*, nobility; il mourra dans la — finale, he will live and die the same ridiculous nobleman.

gentiment, *adv.*, gracefully, nicely.

géronte, *m.*, weak old man, old weakling; type in the French comedy of the seventeenth century.

gésir, *v.*, to lie (*cf.* ci-gît).

girouette, *f.*, weathercock, vane; il faut graisser la — avant de souffler dessus, you must grease the weathercock before blowing upon it (to bring it into the desired position).

Gobseck, *pr. n.*, usurer (title, and name of the chief character, of one of Balzac's novels, *Scènes de la vie privée*); *trsl.:* Shylock.

Godard, *pr. n.*

godelureau, *m.*, coxcomb, fop.

gonfler, *v.*, to swell.

gouailler, *v.*, to ridicule.

goût, *m.*, taste.

gouvernail, *m.*, rudder, helm.

gouvernement, *m.*, government.

gouverner, *v.*, to govern, to manage.

grâce, *f.*, grace, gracefulness, elegance; de —! for goodness' sake! — à, thanks to; mauvaise

—, unfriendliness, ingratitude; fais-nous — de, let us alone with.

gracieu-x, -se, *adj.*, graceful.

graisser, *v.*, to grease.

grand, -e, *adj.*, great, grand.

grand-père, *m.*, grandfather.

gras, -se, *adj.*, fat; soupe —se, meat soup, bouillon.

gratification, *f.*, reward.

grave, *adj.*, grave, serious.

gravure, *f.*, engraving.

grelot, *m.*, bell; attacher le —, to bell the cat.

grimaud, *m.*, poor scholar, urchin, brat, "freshie."

grippe-sou, *m.*, pinch-penny.

gros, -se, *adj.*, big, round, bad.

Groschenet, *pr. n.*, "Big-andiron," a plebeian name.

Gros-Jean, *m.*, commoner.

guère: ne ... —, *adv.*, not much, hardly.

guérir, *v.*, to cure.

guerre, *f.*, war.

gueux, *m.*, beggar; mon — de gendre, that wretched son-in-law of mine.

guise, *f.*, wise, fashion.

H

habileté, *f.*, skill.

habiller, *v.*, to dress.

habit, *m.*, garment, coat.

habitude, *f.*, habit.

habituel, -le, *adj.*, habitual, ordinary.

haïr, *v.*, to hate.

hasard, *m.*, hazard, chance; par —, perhaps.

haut, -e, *adj.*, high; *adv.*, aloud

hauteur, *f.*, height, loftiness.

hé! *int.*, ah!

héberger, *v.*, to lodge, to entertain.

hein? *int.*, hey? what?

Heine, Henri (Heinrich), *pr. n.*, German lyric poet and journalist, 1799-1856, lived in Paris from 1830-1856.

hélas! *int.*, alas!

herbe, *f.*, herb, grass; couper l'— sous le pied à, to cut out.

hérisson, *m.*, hedgehog.

héritage, *m.*, inheritance.

héros, *m.*, hero.

hésiter, *v.*, to hesitate.

heure, *f.*, hour; à quelle —, at what time; à neuf —s, at nine o'clock; tout à l'—, presently, just now; il y a une —, an hour ago; à la bonne —! good! that's what I like! I am glad of it!

heureu-x, -se, *adj.*, happy, lucky.

heurter: se — à, *v.*, to clash with, to strike against.

hier, *adv.*, yesterday; — soir, last night.

histoire, *f.*, history, story.

hochet, *m.*, toy.

homme, *m.*, man.

honnête, *adj.*, righteous, honest.

honneur, *m.*, honor.

honorable, *adj.*, honorable.

honoraire, *adj.*, honorary.

honorer, *v.*, to honor.

honte, *f.*, shame.

honteu-x, -se, *adj.*, ashamed.

horde, *f.*, horde, legion.

horizon, *m.*, horizon.

hospitalité, *f.*, hospitality.

hostilité, *f.*, hostility.

hôtel, *m.*, hotel, large residence, mansion.

huit, *card.*, eight; — jours, a week.

humain, -e, *adj.*, human.

humeur, *f.*, humor, temper, turn of mind, disposition.

humiliation, *f.*, humiliation.

humilier, *v.*, to humiliate.

I

ici, *adv.*, here.

idée, *f.*, idea, thought.

ignorer, *v.*, to ignore, not to know; ne pas —, to know well.

il, *pr.*, he, it.

illusion, *f.*, illusion.

illustre, *adj.*, illustrious.

ils, *pr.*, they.

imaginer: s'—, *v.*, to imagine.

imbécile, *m.*, idiot.

imiter, *v.*, to imitate.

immédiat, -e, *adj.*, immediate.

immobile, *adj.*, motionless.

impatient, -e, *adj.*, impatient, anxious.

imperceptible, *adj.*, imperceptible.

impertinent, -e, *adj.*, impertinent, insolent.

importer, *v.*, to concern, to matter; que vous importe? what does it matter to you?

imposer, *v.*, to impose (à, upon).

impossible, *adj.*, impossible.

impression, *f.*, impression.

improviser, *v.*, to improvise.

imprimeur, *m.*, printer.

imprudence, *f.*, imprudence.

impudence, *f.*, impudence.

impunément, *adv.*, with impunity.

inattendu, -e, *adj.*, unexpected.

incapable, *adj.*, incapable.

incliner: s'—, *v.*, to bow down.

inconnu, -e, *adj.*, unknown.

indélicat, -e, *adj.*, indelicate.

indifférent, -e, *adj.*, indifferent.

indigne, *adj.*, unworthy.

indignité, *f.*, indignity, infamy.

indiquer, *v.*, to indicate.
indiscr-et, -ète, *adj.*, indiscreet.
indiscrétion, *f.*, indiscretion.
industrie, *f.*, industry.
industriel, *m.*, manufacturer.
infâme, *adj.*, infamous.
infâmie, *f.*, infamy, baseness.
infortuné, -e, *adj.*, unfortunate.
ingénieu-x, -se, *adj.*, ingenious.
ingrat, -e, *adj.*, ungrateful.
initier, *v.*, to initiate.
injuste, *adj.*, unjust. ·
innocent, -e, *adj.*, innocent.
inquiétant, *adj.*, disquieting, alarming.
inquiéter: s'—, *v.*, to be alarmed, to worry (**de**, about).
insensible, *adj.*, imperceptible.
insister, *v.*, to insist (**à**, upon).
insouciance, *f.*, carelessness.
insulte, *f.*, insult.
installation, *f.*, installation.
installer, *v.*, to install; **s'—**, to install one's self.
instant, *m.*, instant, moment.
Institut, *m.*, the Institute, the foremost learned society of France, comprising five academies, among them the Académie française.
instituteur, *m.*, teacher, tutor.
intact, -e, *adj.*, intact, unsullied.
intégral, -e, *adj.*, integral.
intendant, *m.*, manager, steward.
intercepter, *v.*, to intercept.
interdire, *v.*, to interdict; **faire — à**, to put under guardianship.
interdit, -e, *adj.*, embarrassed.
intéressant, -e, *adj.*, interesting.
intéresser, *v.*, to interest, to enlist the sympathy of.
intérêt, *m.*, interest; **porter — à**, to take an interest in.
interroger, *v.*, to question.
intrigue, *f.*, intrigue, love affair.

inutile, *adj.*, useless.
inviolable, *adj.*, inviolable.
invitation, *f.*, invitation.
inviter, *v.*, to invite.
irréparable, *adj.*, irreparable.
irrésolution, *f.*, irresolution.
irrévocable, *adj.*, irrevocable.
irriter, *v.*, to provoke, to make angry.
Isly, *pr. n.*, a little river in Morocco, at the boundary of Algiers; famous for the victory of the French under Marshal Bugeaud over the Moroccans, August 14th, 1844.
italien, -ne, *adj.*, Italian.
Italiens: les —, *pl.*, the Italian Opera, place Ventadour, formerly largely patronized by the aristocracy (now used as a bank).
Ivry, *pr. n.*, a village about forty miles west of Paris; victory of Henry IV. (the first Bourbon king) over the party of the Guise, 1590.

J

j' = je.
jalou-x, -se, *adj.*, jealous.
jamais, *adv.*, ever; **à —**, for ever; **à tout —**, for good and all; **ne ... —**, never.
jambe, *f.*, leg; **jouer sous —**, to trip up.
jambon, *m.*, ham.
jardin, *m.*, garden; **une pierre dans mon —; il finira par le paver**, "that's a blow aimed at me; he'll pound me into a mummy (into a cocked hat) yet."
je, *pr.*, I.
Jean, *pr. n.*, John.

jeter, *v.,* to throw, to throw down; — par la fenêtre, to throw out of the window.

jeu, *m.,* game; en —, at stake; jouer un — d'enfer, to gamble with desperately high stakes.

jeune, *adj.,* young.

jeunesse, *f.,* youth, young people; princes de la —, young leaders of the fashionable world.

joie, *f.,* joy.

joindre, *v.,* to join, to add.

joli, -e, *adj.,* pretty.

jouer, *v.,* to play, to make a fool of.

jour, *m.,* day.

journal, *m.,* newspaper, paper.

journée, *f.,* day.

juge, *m.,* judge; je t'en fais —, judge for yourself.

juger, *v.,* to judge.

jumeau, *m.,* twin; les —x siamois, the Siamese twins who were grown together on one side (died 1874 in America).

jurer, *v.,* to swear; je vous jure, I assure you; j'en jurerais, I would take my oath upon it.

jusqu'à, *prep.,* as far as, until; il n'y a pas — la discipline qui n'ait, even discipline has; jusqu'où, how far, to what point; j'ai tout perdu jusqu'au droit de, I have lost everything, even the right to.

juste, *adj.,* just.

justement, *adv.,* just, precisely.

justice, *f.,* justice.

L

l' = le, la.

la, *art., see* le; *pr.,* her, it.

là, *adv.,* there.

là-bas, *adv.,* down there (desig-nates any conceivable place; often used in speaking of a place the name of which the speaker does not at that moment recall).

laboureur, *m.,* husbandman, farmer.

lâche, *m.,* coward; *adj.,* cowardly.

lâcher, *v.,* to let go; je lui ferai — prise, I shall make him give up his prey.

lacté, -e, *adj.,* milky; voie — galaxy, milky way.

là-dessus, *adv.,* on that, about that, over that.

La Hogue, *pr. n.,* town on the northern coast of France; naval battle, 1692, of the French under Tourville against the English and Dutch. The French lost the battle, but fought with the utmost bravery, and not one ship surrendered.

laine, *f.,* wool.

laisser, *v.,* to let, to leave; se — voler, to let one's self be robbed.

langue, *f.,* tongue, language.

lansquenet, *m.,* a card game of pure chance, originating in Germany (*Landsknecht*).

lapin, *m.,* rabbit.

laquelle, *see* lequel.

larme, *f.,* tear.

La Rochelle, *pr. n.,* a Huguenot stronghold, on the west coast of France, about 300 miles S.W. of Paris, captured by Richelieu, 1628, after a most obstinate defense.

las, -se, *adj.,* tired.

latéral, -e, *adj.,* lateral, side-.

le, *m.,* la, *f., art.,* the.

le, *pr.*, him, it; je — suis encore, I am so still.
légal, -e, *adj.*, legal.
lég-er, -ère, *adj.*, light.
légèreté, *f.*, levity, fickleness.
légitime, *adj.*, legitimate.
légitimiste, *m.*, legitimist; see Introd., § 7.
légume, *f.*, vegetable.
lendemain, *m.*, day after (de).
lent, -e, *adj.*, slow.
lequel, *m.*, laquelle, *f.* (*pl.* lesquels, lesquelles), *rel. pr.*, which.
les, *pl.* of def. art., *see* le.
les, *pr.*, them.
leur, *pr.*, to them.
leur, *possessive adj.*, their.
lever, *v.*, to lift, to raise; se —, to rise, to get up.
lézard, *m.*, lizard.
libéral, -e, *adj.*, liberal, liberal-minded.
liberté, *f.*, liberty.
libre, *adj.*, free.
lien, *m.*, bond.
lier, *v.*, to bind.
lieu, *m.*, place; au — de, instead of.
lire, *v.*, to read.
liste, *f.*, list.
lit, *m.*, bed.
litanie, *f.*, litany (in Catholic worship), any long-winded and tiresome enumeration.
lithuanien, -ne, *adj.*, Lithuanian.
livre, *m.*, book.
livre, *m.*, franc (about 20 cents), used only in speaking of annual income.
livrer, *v.*, to deliver.
loge, *f.*, box.
loger, *v.*, to lodge, to room, to house, to accommodate.
loi, *f.*, law.

loin, *adv.*, far, far away.
long, -ue, *adj.*, long.
longtemps, *adv.*, long, a long time.
loto, *m.*, loto (a game of chance).
louer, *v.*, to rent, to let.
Louis, *pr. n.*, Louis.
louis, *m.*, a gold coin worth twenty francs (four dollars), called after the kings since Louis XIII., still used in aristocratic and sporting circles.
lucrati-f, -ve, *adj.*, lucrative.
lui, *pr. nom.*, he, *dat.*, to him, to her; —même, himself.
lumière, *f.*, light.
lune, *f.*, moon; — de miel, honeymoon; nouvelle —, a new honeymoon.
luxe, *m.*, luxury.

M

m' = me.
M. = monsieur.
ma, *see* mon.
Macchiavel, *pr. n.*, Macchiavelli, famous Italian statesman (1469-1527), noted especially for his book *Il principe*, in which he shows how the power of an absolute sovereign could be founded and preserved by shrewdness and consistency, regardless of morals.
madame, *f.*, madam, Mrs.
mademoiselle, *f.*, young lady, Miss.
madère, *m.*, Madeira wine; rôtie —, toast with Madeira wine sauce.
madrigal, *m.*, madrigal.
magnifique, *adj.*, magnificent.
main, *f.*, hand.

maintenant, *adv.*, now.

mais, *conj.*, but.

maison, *f.*, house; voilà la —, that is the way we live.

maître, *m.*, master.

maîtresse, *f.*, mistress.

mal, *m.*, evil, hardship, misfortune, offense.

maladresse, *f.*, awkward thing.

malgré, *prep.*, in spite of; — moi, in spite of myself.

malheur, *m.*, misfortune.

malheureu-x, -se, *adj.*, unhappy, wretched, wretch.

malhonnête, *adj.*, dishonest.

mal-in, -igne, *adj.*, smart.

manger, *v.*, to eat; — des yeux, to rivet one's eyes upon, to regard intently.

manie, *f.*, mania.

manière, *f.*, manner; de — que, so that.

manquer, *v.*, to fail, to be missing, to lack; il ne manque que cela, only that was missing, that caps the climax; il manque à, he fails to; — à son nom, to forfeit one's name; — à ses engagements, he does not fulfill his obligations; — de confiance, to lack confidence.

marchand, *m.*, merchant.

marché, *m.*, bargain; au meilleur — possible, as cheap as possible.

marcher, *v.*, to walk.

marée, *f.*, fresh sea fish.

mari, *m.*, husband.

mariage, *m.*, marriage, wedded life, matrimony.

Marie Stuart: potage à l'orge à la —, Scotch barley soup.

marier, *v.*, to marry, to give in marriage; se —, to marry.

marmite, *f.*, pot.

marotte, *f.*, whim, hobby.

marque, *f.*, mark, proof.

marquis, *m.*, marquis, a title of nobility between count and duke.

marquise, *f.*, marquise, marchioness.

marron, *m.*, chestnut.

matelot, *m.*, sailor.

matérial, *m.*, material.

matière, *f.*, matter; en — de, in matters of.

matin, *m.*, morning.

matrone, *f.*, matron.

mauvais, -e, *adj.*, bad, poor, unpleasant.

me, *pr.*, me, myself, to me, to myself.

méchant, -e, *adj.*, bad, wicked, malicious, mischievous.

méconnaître, *v.*, to slight, to fail to appreciate.

médaille, *f.*, medal.

médecine, *f.*, medicine.

meilleur, -e, *adj.*, better, best.

mêler, *v.*, to mingle; se — de, to concern one's self about; mêlez-vous de vos affaires, mind your own business.

même, *pr.*, self, same; moi-—, myself; la robe —, the robe itself; *adv.*, even; de —, in the same way, likewise.

mémoire, *f.*, memory.

ménace, *f.*, threat.

ménage, *m.*, household, housekeeping, family.

ménagement, *m.*, regard, reservation.

mener, *v.*, to lead, to take.

mentir, *v.*, to lie.

menu, *m.*, menu, bill of fare.

mépriser, *v.*, to scorn, to slight, to despise.

mer, *f.*, sea.

merci, *adv.*, thank you; no, thank you; Dieu —! thank Heaven!

mère, *f.*, mother.

mérite, *m.*, merit.

mes, *pl. of* mon, ma.

mésallier: se —, *v.*, to make a misalliance.

mesquinerie, *f.*, meanness, shabbiness, petty detail.

messieurs, *pl.*, gentlemen.

métamorphose, *f.*, metamorphosis.

métamorphoser, *v.*, to metamorphose.

métier, *m.*, trade, occupation.

mettre, *v.*, to lay, to place, to put, to put on.

miel, *m.*, honey.

mien, -ne, *possessive adj.*, mine.

mieux, *adv.*, better.

milieu, *m.*, middle, midst.

mille, *card.*, a thousand.

million, *f.*, million.

mine, *f.*, mien.

miroir, *m.*, mirror.

miroitement, *m.*, reflection.

misérable, *adj.*, wretched, miserable; le —, the wretch.

Mlle = mademoiselle.

MM. = messieurs.

Mme = madame.

mode, *f.*, fashion; à la —, in fashion; de —, fashionable; journal de —s, fashion paper.

modèle, *m.*, model; prendre — sur, to take as a model.

modérer, *v.*, to moderate.

modeste, *adj.*, modest.

modestie, *f.*, modesty.

moi, *pr.*, I, me; —-même, myself.   [least.

moindre, *adj.*, less; le —, the

moins, *adv.*, less; le —, least; au —, du —, at least; pas le — du monde, not in the least; à — que . . . ne, unless.

mois, *m.*, month.

moitié, *f.*, half.

Molière: Jean-Baptiste Poquelin nommé —, French playwright and actor, 1622-1673.

moment, *m.*, moment.   [my.

mon, *m.*, ma, *f.*, *possessive pr.*,

monde, *m.*, world, society, company, social sphere.

monsieur, *m.*, sir, Mr., gentleman.

monstre, *m.*, monster.

monter, *v.*, to mount, to ascend, to climb, to come upstairs, to carry up, to bring up.

Montmorency, *pr. n.*, name of one of the oldest and most distinguished houses of French nobility.

Montpensier, *pr. n.*

montre, *f.*, watch.

montrer, *v.*, to show, to point to.

moquer: se — de, *v.*, to laugh at, to make fun of.

moralité, *f.*, morality, reputation.

morbleu, *int.* (= mort de Dieu), hang it!

morceau, *m.*, piece.

mort, -e, *adj.*, dead.

mot, *m.*, word; il ne soufflera —, he won't say a word.

mourir, *v.*, to die.

moyen, *m.*, means.

mur, *m.*, wall.

muséum, *m.*, museum (of natural history *or* of curiosities).

musique, *f.*, music.

mystère, *m.*, mystery.

mystérieu-x, -se, *adj.*, mysterious

N

n' = ne.

nain-jaune, *m.*, yellow dwarf, Pope Joan (card game).

naissance, *f.*, birth.

naître, *v.*, to be born.

napolitain, -e, *adj.*, Neapolitan.

nature, *f.*, nature.

naturel, -le, *adj.*, natural.

ne ... pas, point, guère, *adv.*, not ;
— ... que, only ; (ne *alone suffices with* pouvoir, savoir, oser, *in short conditional clauses and a few set phrases*).

né, -e, *pple.* (*of* naître), born.

nécessaire, *adj.*, necessary.

nerf, *m.*, nerve ; agacer les —s à, to irritate, to provoke.

net, -te, *adj.*, clean ; refuser tout —, to refuse flatly.

neuf, *card.*, nine.

neveu, *m.*, nephew.

nez, *m.*, nose ; il a bon —, he is always on the scent.

ni ... ni (*with* ne), *adv.*, neither ... nor ; — moi non plus, nor I either.

nippes, *pl.*, trousseau.

noble, *adj.*, noble.

noblesse, *f.*, nobility ; — d'épée, old nobility (won on the battlefield) ; — oblige, high birth imposes higher obligations (an often quoted sentence from the *Maximes* of the duc de Levis, 1755-1830).

noce, *f.*, nuptials, wedding.

Noé, *pr. n.*, Noah.

noir, -e, *adj.*, black.

nom, *m.*, name ; — de —! by all that's good !

nommer, *v.*, to name, to appoint.

non, *adv.*, no, not ; — pas, no, not, no indeed.

nos, *pl. of* notre.

notaire, *m.*, notary.

notre, *possessive pr.*, our.

nôtre, *possessive pr.*, ours ; serez-vous des —s? will you be with us?

nourrir, *v.*, to nourish, to feed, to support.

nous, *pr.*, we, us, to us, ourselves.

nouv-eau, -el, -elle, *adj.*, new.

nouvelle, *f.*, news ; dire des —s de, to be surprised at.

nul, -le, *adj.*, no, none ; nullement, by no means, not at all.

O

obéir, *v.*, to obey (à).

objet, *m.*, object.

obliger, *v.*, to oblige, to impose obligations ; bien obligé, much obliged ; mon second obligé, my second in duty bound ; j'en suis l'obligé, I am under obligations to him.

obole, *m.*, mite, groat.

obséquieu-x, -se, *adj.*, obsequious, over-attentive (avec, to).

observer, *v.*, to observe.

obsession, *f.*, siege.

obtenir, *v.*, to obtain.

occasion, *f.*, occasion, opportunity.

occupation, *f.*, occupation.

occuper, *v.*, to occupy.

odieu-x, -se, *adj.*, odious.

œil, *m., pl.* yeux, eye ; il me coûte les yeux de la tête, he costs me my last penny ; jeter les yeux à, to throw a glance at.

offense, *f.*, offense.

offenser, *v.*, to offend.

offrande, *f.*, offering.

offrir, *v.*, to offer.

oh! *int.*, oh !

oignon, *m.*, onion.

oisi-f, -ve, *adj.*, leisurely, idle.

oisiveté, *f.*, idleness.

on, *pr.*, l'—, one, they (*indef. subject*), somebody.

oncle, *m.*, uncle.

onze, *card.*, eleven.
Opéra, *m.*, the Grand Opera.
opinion, *f.*, opinion.
opposer, *v.*, to oppose; s'—, to object.
or, *m.*, gold.
or, *conj.*, now.
orangé, -e, *adj.*, orange.
ordonner, *v.*, to order.
ordre, *m.*, order, disposition, true order.
oreille, *f.*, ear.   [order.
orge, *f.*, barley.
orgueil, *m.*, pride.
orgueilleu-x, -se, *adj.*, proud, haughty.
ornement, *m.*, decoration.
orphelin, *m.*, orphan.
oseille, *f.*, sorrel sauce; à l'—, in a sorrel sauce.
oser, *v.*, to dare, to venture.
ôter, *v.*, to take away; s'—, to get away.
ou, *conj.*, or.
où, *adv.*, where, whither.
oublier, *v.*, to forget.
oui, *adv.*, yes.
outrager, *v.*, to outrage, to insult grossly.
ouvert, -e, *adj.*, open.
ouvrir, *v.*, to open.

P

pair, *m.*, peer (member of the upper house of the legislative assembly, appointed by the king for life, 1814-1848).
pairie, *f.*, peerage.
paladin, *m.*, paladin, knight.
palsambleu! *int.* (= par le sang de Dieu), forsooth! by Jove!
panier, *m.*, basket; — percé, basket without a bottom, spendthrift.

pantoufle, *f.*, slipper.
papa, *m.*, papa; —-gâteau, daddy sugar-plum.
papier, *m.*, paper.
par, *prep.*, by, through; — jour, a day; — où, (from) where.
paraître, *v.*, to appear.
parbleu! *int.* (= par Dieu), forsooth! by Jove!
parc, *m.*, park.
parce que, *conj.*, because.
parcourir, *v.*, to run over, to peruse.
pardieu! *int.*, by Heaven! by Jove!
pardon, *m.*, pardon; —! je vous demande —, I beg your pardon.
pardonner, *v.*, to pardon.
pareil, -le, *adj.*, similar, such.
parents, *pl.*, parents, brother and sister.
parenté, *f.*, blood-relationship.
parenthèse, *f.*, parenthesis; entre —s, by the way.
paresse, *f.*, laziness.
parfait, -e, *adj.*, perfect.
Paris, *pr. n.*, Paris.
Parisien, *m.*, -ne, *f.*, Parisian.
parler, *v.*, to speak.
parole, *f.*, word; ma —, upon my word; la — est à lui, he has the floor.
parrain, *m.*, godfather.
part, *f.*, part, side; à —, aside; de la — de, from, in behalf of, in the name of; de quelle —? from whom?
parti, *m.*, part, party, side, resolve; prendre son —, to resign one's self to his fate; prendre un —, to make a resolution.
particuli-er, -ère, *adj.*, particular.
partie, *f.*, game, match, portion; faire — de, to belong to
partir, *v.*, to leave; — d'un éclat

de rire, to burst out laughing;
à — d'aujourd'hui, from this
very day.

parvenir, v., to succeed, to rise in
the world.

pas, m., pace, step; — de clerc,
blunder; ne ... —, not; ne ...
— de, no, not any.

passé, m., past.

passer, v., to pass; en — par là,
to put up with it; se —, to
happen, to take place.

passe-temps, m., pastime.

passion, f., passion.

pâte, f., dough, make-up, sort,
color (blending of colors).

patience, f., patience.

patient, -e, adj., patient.

patrie, f., fatherland, country.

patrimoine, m., patrimony.

patriotique, adj., patriotic.

patte, f., paw; faire la — de velours, to play Pussy Velvet-
Paw.

pauvre, adj., poor, (term of en-
dearment) dear; mon — père,
my late father.

paver, v., to pave.

pavillon, m., pavillion, lodge.

payer, v., to pay.

pays, m., country.

paysage, m., landscape.

pédagogue, m., pedagogue; faire
le —, to play the schoolmaster.

peindre, v., to paint.

peine, f., pain, difficulty, trouble;
à —, hardly, scarcely.

peinture, f., painting.

pelote, f., ball of yarn; arrondir
sa —, to round out one's ball
of yarn, to feather one's nest.

pendant, prep., during; — que,
conj., while.

pendre. v., to hang.

pendule, f., chimney clock.

pénitence, f., penitence; mettre
en —, to punish like a child.

pensée, f., thought.

penser, v., to think (à, of).

pension, f., annuity; servir une —,
to allow an annuity.

pensionnaire, f., boarding-school
girl.

pente, f., inclination, bent.

percer, v., to pierce.

perche, f., pole.

perdre, v., to lose, to ruin; ma
tête se perd, my wits are astray.

perdreau, m., young partridge; —
rouge, partridge with red feet
and red beak.

père, m., father; — rabat-joie,
father kill-joy.

perfection, f., perfection.

péril, m., danger.

permettre, v., to permit.

permission, f., permission.

perpétuité, f., perpetuity; à —,
forever.

personnage, m., character (in a
play), person.

personne, f., person, anybody; ne
... —, nobody.

personnel, -le, adj., personal.

persuader, v., to persuade. to con-
vince (qc. à qq., somebody of
something).

petit, -e, adj., little, small, nice,
petty.

peu (de), adv., little, few; un —,
a little; sous —, before long.

peuh! int., pshaw!

peuple, m., people.

peur, f., fear; avoir — de, to fear;
faire — à, to frighten.

peut-être, adv., maybe, perhaps.

phénomène, m., phenomenon.

Philémon et Baucis, pr. n., an old
couple famous in antiquity as
the model of true conjugal

love, and granted by the gods the privilege of dying together.

Philippe, *pr. n.,* Philip.

piano, *m.,* piano.

pied, *m.,* foot; **à** —, on foot.

piège, *m.,* snare, trap.

pierre, *f.,* stone.

pilote, *m.,* pilot.

Pincebourde, *pr. n.,* " Tattler," " Chatterbox."

pinte, *f.,* pint.

piquet, *m.,* piquet; **un cent de —,** at a hundred points.

piteu-x, -se, *adj.,* piteous.

pitié, *f.,* pity (**de,** with), misery.

place, *f.,* place.

placer, *v.,* to place, to invest.

plaindre, *v.,* to pity; **se —,** to complain.

plaine, *f.,* plain.

plainte, *f.,* complaint.

plaire, *v.,* to please; **s'il vous plaît,** if you please.

plaisant, -e, *adj.,* pleasant, funny.

plaisanter, *v.,* to joke.

plaisanterie, *f.,* joke.

plaisir, *m.,* pleasure; **j'ai — de,** I am pleased to; **puisque c'est votre bon —,** since it is your highness' pleasure.

plan, *m.,* plan, ground; **premier —,** foreground.

planter, *v.,* to plant, to grow; **— là,** to leave in the lurch (*fam.*).

plastron, *m.,* plastron of a fencing master, butt, target.

plat, *m.,* dish, plate.

plat, -e, *adj.,* flat.

plein, -e, *adj.,* full.

pleurer, *v.,* to weep, to cry.

pli, *m.,* fold.

pluie, *f.,* rain.

plume, *f.,* feather.

plus, *adv.,* more; **le —,** most; **de —,** more, additional; **raison de**

—, all the more reason; **ne... —,** no more; **ni moi non —,** nor I either; **ne... pas non — mon titre,** not my title either; **— un mot!** not a word more!

plusieurs, *adj.,* several.

plutôt, *adv.,* rather.

poche, *f.,* pocket.

poésie, *f.,* poetry.

poète, *m.,* poet.

poids, *m.,* burden.

poignet, *m.,* wrist.

poing, *m.,* fist; **coup de —,** cuff.

point, *m.,* point; **ne... —,** not; **rendre des —s,** to give odds.

poirier, *m.,* pear tree.

poli, -e, *adj.,* polite.

politique, *f.,* politics.

Pomard, *pr. n.,* wine of Pomard (village in the Département de Côte-d'Or).

pont, *m.,* bridge; **—s et chaussées,** civil engineering; **il n'a pas de Pont,** his real name spells without de Pont.

porte, *f.,* door.

porter, *v.,* to carry, to take; **se —,** to conduct one's self.

portier, *m.,* janitor.

position, *f.,* position.

posséder, *v.,* to possess.

possible, *adj.,* possible.

poste, *m.,* post.

potage, *m.,* soup.

pouce, *m.,* inch.

poudre, *f.,* powder, dust.

poularde, *f.,* pullet.

poule, *f.,* hen; **donner la chair de — à,** to make one's flesh crawl, to give one a cold shudder.

poupée, *f.,* doll.

pour, *prep.,* for; *with present infinitive,* in order to; **— avoir atteint,** for, because of, having reached; **— que,** in order that.

pourquoi, *adv.*, what for, why.

pourtant, *adv.*, however, though.

pourvu que, *conj.*, provided that.

pousser, *v.*, to push, to egg on.

pouvoir, *m.*, power.

pouvoir, *v.*, to be able; **je peux,** I can.

pratiquer, *v.*, to practice.

précepte, *m.*, precept, rule.

préfecture, *f.*, highest administrative office of a département.

premier, *ord.*, first; first story (reached after mounting the outside steps and one flight of stairs).

prendre, *v.*, to take, to take up; to capture; **où prenez-vous cela?** where did you get that (notion)? who told you so? what makes you think so? **je t'y prends,** I catch you in it; **à la façon dont tu t'y prends,** the way you act; **— un sujet sur nature,** to take a subject from nature.

préoccupation, *f.*, preoccupation.

préparer, *v.*, to prepare.

près (de), *prep.*, near; **à . . . —,** excepting; **à peu —,** nearly, pretty near; **à six pouces —,** within six inches, allowing for a difference of six inches.

présence, *f.*, presence.

présent, *m.*, present; **à —,** now.

présentement, *adv.*, at once.

présenter, *v.*, to present, to introduce. [duce.

presque, *adv.*, almost.

presser, *v.*, to press, to urge, to hurry.

prêt, -e, *adj.*, ready, done.

prétendre, *v.*, to pretend, to claim.

prétention, *f.*, pretention; **avoir — à,** to pretend to.

prêter, *v.*, to lend, to loan, to attribute.

prétexte, *m.*, pretext.

preuve, *f.*, proof.

prévenir, *v.*, to precede, to anticipate, to prevent, to warn.

prier, *v.*, to pray, to ask.

prince, *m.*, prince.

principe, *m.*, principle.

printemps, *m.*, spring.

prise, *f.*, capture, hold; **lâcher —,** to give up one's prey.

prison, *f.*, prison.

priver, *v.*, to deprive.

privilège, *m.*, privilege.

prix, *m.*, price; **à tout —,** cost what it may.

probité, *f.*, probity, honesty.

procédé, *m.*, procedure; **les bons —s,** skill and tact.

procès, *m.*, law suit.

procurer, *v.*, to procure, to obtain, to yield.

prodigalité, *f.*, prodigality.

prodigue, *adj.*, prodigal; **l'enfant —,** the prodigal son.

professorat, *m.*, teaching.

profiter, *v.*, to profit.

progresser, *v.*, to make progress.

promenade, *f.*, promenade, ride, drive.

promener: **se —,** *v.*, to take a walk, a ride, a drive, to walk to and fro.

promesse, *f.*, promise.

promettre, *v.*, to promise.

prompt, -e, *adj.*, prompt.

propos, *m.*, occasion; **à —,** opportunely, appropriately, as I just think of it; **à quel —?** what about? for what reason?

proposer, *v.*, to propose.

propre, *adj.*, own. [owner.

propriétaire, *m.*, proprietor,

propriété, *f.*, property, estate.

protéger, *v.*, to protect, to patronize.

protestation, *f.,* protestation, profession.

prouver, *v.,* to prove.

prudence, *f.,* prudence; — est mère de sûreté, discretion is the better part of valor.

prudent, -e, *adj.,* prudent.

publi-c, -que, *adj.,* public.

pudeur, *f.,* bashfulness.

puéril, -e, *adj.,* puerile, childish.

puis, *adv.,* then.

puiser, *v.,* to draw, to take, to imbibe.

puisque, *conj.,* since.

punir, *v.,* to punish.

pur, -e, *adj.,* pure.

pureté, *f.,* purity.

Q

qu' = que.

quand, *adv., conj.,* when; — même, even if so.

quant à, *prep.,* as to.

quarante, *card.,* forty; —-six, -sept, -huit, forty-six, -seven, -eight; l'an —, "the year forty," a time that will never come.

quart, *m.,* fourth, quarter; — d'heure, quarter of an hour; un mauvais — d'heure, a bad time.

quatorze, *card.,* fourteen.

quatre, *card.,* four; —-vingt, eighty; —-vingt-deux, eighty-two.

quatrième, *ord.,* fourth.

que, *conj.,* that, than, as; *pr.,* whom, that, which, what; qu'est-ce —, what; *exclamation:* why, how much, how many; ne . . . —, only; qu'il vienne, let him come; quel charmant jeune homme — M.

le duc, what a charming young man the duke is.

quel, -le, *pr.,* what, which.

quelque, *pr.,* some; quelqu'un, some body; — chose, something.

querelle, *f.,* quarrel.

quereller, *v.,* to pick a quarrel with.

question, *f.,* question; faire une —, to ask a question.

qui, *pr.,* who, whom, which, that.

Quiberon, *pr. n.,* a peninsula on the south coast of Brittany; landing and defeat of the French *émigrés* (aided by the English), 1795.

quinze, *card.,* fifteen.

quitte, *adj.,* discharged; en être — pour, to get off with; tenir — de, to relieve of, to excuse from.

quitter, *v.,* to leave.

quoi, *pr.,* what; — que, whatever; il y aura de — faire une voie lactée, there will be enough to make a galaxy; il y a là de — être fier, you may well be proud of that; j'ai de — l'acheter, I have money enough to buy it.

quoique, *conj.,* although.

R

rabais, *m.,* rebate, discount.

rabat-joie, *m.,* wet-blanket, kill-joy.

rabattre, *v.,* to lower, to diminish.

raccommoder, *v.,* to patch together, to reconcile.

racheter, *v.,* to buy back, to redeem, to make good, to atone for.

raconter, *v.*, to relate, to tell.

raisin, *m.*, grape.

raison, *f.*, reason; avoir —, to be right.

raisonnable, *adj.*, reasonable, sensible.

ramasser, *v.*, to pick up.

rancune, *f.*, grudge; garder — à, to harbor a grudge against.

rang, *m.*, rank, social standing.

ranger, *v.*, to place in order; se —, to settle down, to enlist.

rapide, *adj.*, rapid.

rappeler, *v.*, to remind (qc. à qq., somebody of something); se —, to recall, to remember.

rapport, *m.*, bearing, relation.

rapporter, *v.*, to bring back.

rapprochement, *m.*, reconciliation.

rapprocher, *v.*, to bring together, to reconcile.

rare, *adj.*, rare.

raser, *v.*, to raze, to cut down.

rasseoir: se —, *v.*, to sit down again.

rassurer, *v.*, to re-assure; se —, to calm one's self, to take courage, to cheer up.

rat, *m.*, rat.

rattraper: se —, *v.*, to get even (sur qq. de qc., with somebody for something).

ravioles: potage aux — à l'Italienne, Italian soup with eggs, cheese, and chopped herbs.

ravir, *v.*, to charm, to delight.

rayer, *v.*, to erase, to cross out.

rebrousser: — chemin, *v.*, to turn back abruptly.

recette, *f.*, recipe.

recevoir, *v.*, to receive.

réciter, *v.*, to recite.

récolte, *f.*, collection.

récompense, *f.*, recompense, compensation.

réconcilier, *v.*, to reconcile.

reconnaissance, *f.*, recognition, gratitude.

reconnaître, *v.*, to recognize, to acknowledge.

recueilli, -e, *adj.*, gathered, contemplative.

reculer, *v.*, to recoil.

redevenir, *v.*, to become again.

réduire, *v.*, to reduce.

réel, -le, *adj.*, real.

réfléchir, *v.*, to reflect.

réflexion, *f.*, reflection.

réforme, *f.*, reform.

refus, *m.*, refusal.

refuser, *v.*, to refuse.

régal, *m.*, favorite dish.

regarder, *v.*, to regard, to look at, to concern.

régiment, *m.*, regiment.

régler, *v.*, to regulate, to settle.

regret, *m.*, regret; être au — de, to feel sorry for.

regretter, *v.*, to regret.

reine, *f.*, queen.

relevé, *m.*, changing of plates, first course.

relever, *v.*, to raise again; se —, to rise again.

reliquat, *m.*, relic, remnant.

remarier: se —, *v.*, to marry again.

rembourser, *v.*, to reimburse.

remède, *m.*, remedy.

remercier, *v.*, to thank.

remercîment, *m.*, thanks.

remettre, *v.*, to remit, to hand, to put back.

remise, *f.*, shed, carriage house.

remontrance, *f.*, remonstrance.

remords, *m.*, remorse.

remplacer, *v.*, to replace.

remplir, *v.*, to fulfill.

rencontrer, *v.*, to encounter, to meet.

rendez-vous, *m.*, appointment.

rendre, *v.*, to render, to return, to make.

renier, *v.*, to renounce, to disown, to forswear.

renoncer, *v.*, to renounce.

renouveler, *v.*, to renew.

renseignement, *m.*, information.

rente, *f.*, annual income.

rentrer, *v.*, to reënter, to return.

réparer, *v.*, to repair, to make good; se —, to turn out well again.

repasser, *v.*, to call again.

répéter, *v.*, to repeat.

répliquer, *v.*, to reply.

répondre, *v.*, to answer.

réponse, *f.*, answer.

reposer, *v.*, to rest, to set at rest.

repousser, *v.*, to repulse.

reprendre, *v.*, to take again, to take back.

réprésentant, *m.*, representative.

réprésenter, *v.*, to represent.

reproche, *f.*, reproach.

reprocher, *v.*, to reproach.

résignation, *f.*, resignation.

résistance, *f.*, resistance.

résister, *v.*, to resist.

résolu, -e, *pple. of* résoudre, settled.

résolution, *f.*, resolution.

respectable, *adj.*, respectable.

respecter, *v.*, to respect.

respectueu-x, -se, *adj.*, respectful.

responsable, *adj.*, responsible (de, for).

ressembler, *v.*, to resemble (à).

reste, *m.*, rest, remainder; du —, however, nevertheless.

rester, *v.*, to remain, to be left.

retirer: se —, *v.*, to retire, to withdraw.

retomber, *v.*, to fall back.

retourner, *v.*, to return.

réussir, *v.*, to succeed; ça m'a bien réussi! a nice job it has turned out!

revanche, *f.*, revenge, return game.

rêve, *m.*, dream.

réveil, *m.*, awakening.

révélation, *f.*, revelation.

revenir, *v.*, to come back.

revenu, *m.*, revenue, interest, annual income.

rêver, *v.*, to dream.

révérence, *f.*, bow.

rêverie, *f.*, dream.

revers, *m.*, reverse, other side.

revoir, *v.*, to meet, to see again; au —, good-by till we meet again.

revue, *f.*, review, magazine.

Rhin, *m.*, Rhine.

rhume, *m.*, cold in the head.

riche, *adj.*, rich, beautifully furnished.

Richelieu: Armand-Jean Duplessis, duc de —, 1585-1642, French cardinal and prime minister of Louis XIII.

ridicule, *m.*, ridicule.

ridicule, *adj.*, ridiculous.

rien, *adv.*, nothing, anything; ne ... —, nothing; — de bon, nothing good.

rire, *m.*, laugh, laughter.

rire, *v.*, to laugh (de, at); se — de, to laugh at.

risette, *f.*, childlike laugh.

rivale, *f.*, rival.

robe, *f.*, robe, garb.

roi, *m.*, king.

rôle, *m.*, rôle, character.

romain, -e, *adj.*, Roman.

roman, *m.*, novel, romance.

romanesque, *adj.*, romantic.

rompre, *v.*, to break.

rondelet, *adj.*, nice and round;

une somme —te, a nice round sum.

rôti, *m.*, roast.

rôtie, *f.*, toast.

rouge, *adj.*, red.

rougir, *v.*, to blush.

rouler, *v.*, to dupe, to mystify, to tumble, to fall.

royal, -e, *adj.*, royal.

ruade, *f.*, kick, outburst.

rue, *f.*, street.

ruine, *f.*, ruin.

ruiner, *v.*, to ruin.

rustre, *m.*, boor.

S

s' = se.

sa, *see* son.

sacré, -e, *adj.*, sacred.

sacrifice, *m.*, sacrifice.

sacrifier, *v.*, to sacrifice.

sain, -e, *adj.*, sane, healthful, wholesome.

Saint-Georges, *pr. n.*, (1) a legendary prince of Cappadocia, who died as a martyr under Diocletian; the patron saint of the crusaders and of horsemen; (2) a noted French swordsman of the second half of the eighteenth century.

Saint-Germain, *pr. n.*, a beautiful residence portion of Paris, on the south bank of the Seine; headquarters of the aristocracy.

Saint-Martin, *pr. n.*, St. Martin's day (Nov. 11th); été de la —, Indian summer.

saisir, *v.*, to seize, to grasp, to comprehend.

salir, *v.*, to tarnish, to stain.

salle, *f.*, hall, room; — à manger, dining-room.

Salomon, *pr. n.*, the typical usurer's name in comedy.

salon, *m.*, drawing-room.

sang, *m.*, blood.

sans, *prep.*, without; — avoir, without having; vous n'êtes pas — avoir lu cela, you surely have read that.

satisfaire, *v.*, to satisfy (à).

satisfait, -e, *adj.*, satisfied.

sauce, *f.*, gravy, sauce.

sauf, *prep.*, save, except.

sauter, *v.*, to leap, to jump, to stew; il s'est fait —, he blew himself up with his ship.

sauver, *v.*, to save.

savoir, *v.*, to know, to have learned, to be able.

scandale, *m.*, scandal.

scélérat, *m.*, scoundrel, wretch.

scène, *f.*, scene.

scier, *v.*, to saw.

scrupuleu-x, -se, *adj.*, scrupulous.

se, *reflexive pr.*, himself, herself, itself, themselves, each other.

s-ec, -èche, *adj.*, dry.

second, *m.*, second.

second, *ord.*, second.

secret, *m.*, secret.

secr-et, -ète, *adj.*, secret.

sédentaire, *adj.*, sedentary; goûts —s, domestic habits, tastes.

seigneur, *m.*, lord.

selon, *prep.*, according to.

sembler, *v.*, to seem.

sens, *m.*, sense; — commun, common sense.

sentiment, *m.*, sentiment, fine feeling.

sentir, *v.*, to feel, to smell, to smell of.

seoir, *v.*, to suit, to be becoming (il sied).

séparation, *f.*, separation (de corps, from board and bed).

séparer, *v.,* to separate; **se — de,** to part from, with.

septuagénaire, *m.,* a man seventy years old; **mon — d'oncle,** that seventy-year-old uncle of mine.

sérieu-x, -se, *adj.,* serious; **au grand —,** very seriously, earnestly.

serment, *m.,* oath.

sermon, *m.,* sermon.

serpent, *m.,* serpent.

serrer, *v.,* to press, to tighten.

serrure, *f.,* lock.

servant, *m.,* **-e,** *f.,* servant.

service, *m.,* service.

serviette, *f.,* napkin.

servir, *v.,* to serve; **se — de,** to use, to help one's self to; **madame est servie,** dinner is ready.

serviteur, *m.,* servant; **votre —,** your humble servant.

ses, *pl. of* **son, sa.**

seul, -e, *adj.,* only, sole; **à moi —,** I alone.

seulement, *adv.,* only.

sévère, *adj.,* severe, exacting.

si, *adv.,* so, (*after negative questions*), yes; **tu vois bien que —,** yes, you would; **— fait,** yes, to be sure.

si, *conj.,* if, whether.

siamois, -e, *adj.,* Siamese.

siège, *m.,* seat, siege.

sien, -ne, *possessive adj.,* his.

signature, *f.,* signing, signature.

signe, *m.,* sign.

signer, *v.,* to sign.

silence, *m.,* silence.

silencieu-x, -se, *adj.,* silent, still.

simple, *adj.,* simple; **tout —ment,** simply, candidly.

simplicité, *f.,* simplicity.

sincérité, *f.,* sincerity.

sinon, *conj.,* if not, unless.

situation, *f.,* situation.

six, *card.,* six.

Sixte-Quint, *pr. n.,* Pope Sixtus V., 1521-1590.

social, -e, *adj.,* social.

soi, *pr.,* **—-même,** one's self.

soin, *m.,* care.

soir, *m.,* evening; **hier —,** last night; **l'autre —,** the other night.

soirée, *f.,* soirée, evening party.

soixante, *card.,* sixty; **—-dix,** [seventy.

sol, *m.,* soil, ground.

soldat, *m.,* soldier.

solder, *v.,* to liquidate, to settle.

soleil, *m.,* sun.

solidaire, *adj.,* in partnership jointly and separately liable.

solidité, *f.,* solidity.

somme, *f.,* sum.

son, *m.,* **sa,** *f., possessive adj.,* his, her, its.

sonder, *v.,* to sound (**à,** on, concerning).

songer, *v.,* to think, to intend (**à**).

sonner, *v.,* to ring, to ring for, to sound, to strike.

sort, *m.,* fate.

sorte, *f.,* sort, kind; **en — que,** so that; **de la —,** like this, in such a way.

sortie, *f.,* exit; **fausse —,** turns to go, but stops at the door.

sortir, *v.,* to go out; **sort,** exit; **sortent,** exeunt.

sottise, *f.,* stupidity.

sou, *m.,* sou (one cent); **ça n'a pas le —,** that fellow is not worth a penny.

souci, *m.,* care.

soucier: se —, *v.,* to care, to concern one's self (**de,** about).

souffler, *v.,* to blow, to whisper.

souffrir, *v.,* to suffer.

souiller, *v.,* to sully.

soulager, *v.*, to console.

soumettre, *v.*, to submit, to subject.

soupçon, *m.*, suspicion.

soupe, *f.*, soup.

source, *f.*, source.

sourire, *m.*, smile.

sourire, *v.*, to smile.

sous, *prep.*, under, below.

souscrire, *v.*, to subscribe.

soutenir, *v.*, to sustain, to aid, to uphold.

souvenir: se —, *v.*, to remember (de).

splendide, *adj.*, splendid.

station, *f.*, station.

stère, *m.*, cubic metre.

suffire, *v.*, to suffice.

suffisant, -e, *adj.*, sufficient.

suite, *f.*, sequel; tout de —, at once.

suivre, *v.*, to follow.

sujet, *m.*, subject, individual, fellow; à ce —, on this point.

Sully: Maximilien de Béthune, baron de Rosny, duc de —, 1560-1641, from 1597 minister of finance under Henry IV., famous for his strict economy.

superbe, *adj.*, superb.

superflu, -e, *adj.*, superfluous.

supplanter, *v.*, to supplant, to crowd out.

supplier, *v.*, to beseech (qq. de qc., somebody for something).

supposer, *v.*, to suppose.

supprimer, *v.*, to suppress.

sur, *prep.*, on, upon, over, above; — la porte, at the door.

sûr, -e, *adj.*, sure.

sûreté, *f.*, safety.

sur-le-champ, *adv.*, at once.

surplus: au —, *adv.*, besides, moreover. [ly.

surtout, *adv.*, above all, especial-

T

t' = te.

ta, *see* ton.

tabac, *m.*, tobacco.

table, *f.*, table; — ouverte, open house.

tableau, *m.*, picture.

tache, *f.*, stain.

tâcher, *v.*, to try. [stint.

tailler, *v.*, to cut, to curtail, to

tailleur, *m.*, tailor.

taire: se —, *v.*, to be silent.

talent, *m.*, talent.

talon, *m.*, heel; —s rouges, red heels, formerly a mark of nobility; on va vous couper les —s rouges, I'll put a damper on your pride; "I'll take the starch out of you."

tandis que, *conj.*, while (*adversative*).

tant (de), *adv.*, so much, so many; si — est que, if at all, if indeed.

tapissier, *m.*, upholsterer.

taquinerie, *f.*, teasing.

ta ra ta ta! *int.*, fiddlesticks!

tard, -e, *adj.*, late; sur le —, in one's old age.

tas, *m.*, crowd.

taux, *m.*, rate of interest.

te, *pr.*, you, to you, yourself, to yourself.

tel, -le, *adj.*, such.

témoigner, *v.*, to testify, to bear witness.

témoin, *m.*, witness.

temple, *m.*, temple.

temps, *m.*, time, weather; à —, in time (to act); du —, at the time.

tendre, *adj.*, tender, delicate.

tendre, *v.*, to stretch out; — la main à, to shake hands with.

tendresse, *f.,* tenderness.

tenir, *v.,* to hold, to keep; —
à, to insist upon, to stick to,
to think highly of; **tenu de,**
obliged to; **se —,** to stand in
connection.

tenter, *v.,* to tempt.

tenue, *f.,* dress, appearance.

terminer, *v.,* to terminate, to finish.

terrain, *m.,* ground, duel ground.

terre, *f.,* earth, estate; **porter en**
—, to bury; **qui — a guerre a,**
he who has a territory must
fight for it.

tête, *f.,* head; **coup de —,** rash
act.

tien, -ne, *possessive adj.,* yours.

tiens! *int.,* look! look here!
there! **—, c'est toi?** why, is it
you?

timide, *adj.,* timid.

tirer, *v.,* to draw; **se — de,** to get
out of.

titre, *m.,* title.

toi, *pr.,* you, yourself; **—-même,**
yourself.

toilette, *f.,* toilet; **faire une —,** to
dress.

Toinon, *pr. n.,* pet form for **An-**
toinette.

tomber, *v.,* to fall.

ton, *m.,* tone, style; **donner le —,**
to lead the fashion, to be the
leader in society.

ton, *m.,* **ta,** *f., possessive pr.,* your.

Tony, *pr. n.,* pet form for **An-**
toine.

tort, *m.,* wrong; **faire — à,** to
wrong; **avoir —,** to be wrong.

torturer, *v.,* to torture.

tôt, *adv.,* early, soon.

touchant, -e, *adj.,* touching.

toucher, *v.,* to touch, to receive;
touchez-là, shake hands on it.

toujours, *adv.,* always, still.

tour, *m.,* turn, round; **— de pro-**
menade, ride, drive.

tourmenter, *v.,* to torment.

tourtereau, *m.,* turtledove.

tout, *m.,* whole, everything; **du**
—, at all; **pas du —,** not at all.

tout, -e, *adj.,* entire, whole, each,
every; **—e maison,** every
house; **—e la maison,** the
whole house; **—es les maisons,**
all the houses; **tous les jours,**
every day.

tout, *adv.,* quite, entirely; **—**
simple, quite simple; **— ébaubi,**
quite dazed.

tradition, *f.,* tradition.

tragique, *adj.,* tragical.

train, *m.,* way of living; **je mène**
un — de prince, I lead a life
like a prince; **au — dont il y**
va, the rate things are going;
va ton —, just go ahead; **en —,**
on the road to, on the point of.

trait, *m.,* stroke, arrow; **faire des**
—s à, to deceive.

traité, *m.,* treaty.

traiter, *v.,* to treat (**de,** like, as).

tranquille, *adj.,* quiet, easy (in
mind); **laisse-moi —,** let me
alone.

transaction, *f.,* settlement, com-
promise.

travail, *m.,* work, labor.

travailler, *v.,* to work.

travers: au — de, *prep.,* through;
se mettre en — de, to oppose.

trembler, *v.,* to tremble.

trente, *card.,* thirty.

très, *adv.,* very.

tribunal, *m.,* tribunal, court.

tribune, *f.,* platform (with the
speaker's desk).

triomphe, *m.,* triumph.

trivial, -e, *adj.,* trivial, vulgar.

trois, *card.*, three.

troisième, *ord.*, third.

tromper, *v.*, to deceive; se — de, to be mistaken about.

trop, *adv.*, too, too much, too many; c'est — de douze, that is twelve too many; vous n'êtes pas de —, you are not in the way; ce ne sera pas — de toute ma vie, my whole life will not be too much; c'était — peu de votre grâce, your winsomeness did not suffice.

trou, *m.*, hole.

troubler, *v.*, to trouble.

troupier, *m.*, trooper, warrior.

trouver, *v.*, to find; je trouve bon, I choose.

truffe, *f.*, truffle; croustade de —s, crusted truffle tart.

tu, *pr.*, you.

tuer, *v.*, to kill.

Tuileries, *pr. n.*, the royal palace, destroyed in 1871 during the Communal uprising.

tur-c, -que, *adj.*, Turkish.

Turgot: Anne-Robert-Jacques —, *pr. n.*, minister of finance under Louis XVI., noted for economy and extensive reforms.

tuyau, *m.*, funnel; parler dans le — de l'oreille à, to whisper into somebody's ear.

U

un, -e, *indef. art.*, a, an; *card.*, one.

uniforme, *f.*, uniform.

usage, *m.*, use, usage; faire — (de), to make use of, to be of [use.

usure, *f.*, usury.

usurier, *m.*, usurer.

utile, *adj.*, useful.

V

vacant, -e, *adj.*, vacant.

vain, -e, *adj.*, vain.

vaisseau, *m.*, ship.

valet, *m.*, valet; — de pied, footman.

valeur, *f.*, value, worth.

valoir, *v.*, to be worth, to count for; — mieux, to be better.

vanité, *f.*, vanity.

vaste, *adj.*, spacious.

Vate!, *pr. n.*, a famous cook in the ser... of the prince de Condé, who in 1671 committed suicide because the sea fish (*marée*) for a banquet in honor of Louis XIV. had not arrived in time (see Mme de Sévigné's *Lettres*, No. 47).

vaurien, *m.*, good-for-nothing.

veille, *f.*, eve.

veiller, *v.*, to watch; j'y veillerai, I'll see to it.

velours, *m.*, velvet.

vendre, *v.*, to sell; à —, for sale.

vengeance, *f.*, vengeance.

venger, *v.*, to avenge; se —, to take revenge.

venir, *v.*, to come; faire —, to send for; je viens d'écrire, I have just written.

vente, *f.*, sale; mettre en —, to offer for sale.

ventre, *m.*, stomach; se mettre à plat —, to lie down flat.

ventre-saint-gris! *int.* (=ventre du Saint-Christ), zounds! (Pet oath of Henry IV., after 1830 used by the legitimists with ostentatious predilection.)

véritable, *adj.*, veritable, true.

vérité, *f.*, truth.

verre, *m.,* glass; **en rendant le —,** bottles to be returned.

versatile, *adj.,* versatile, fickle.

vert, -e, *adj.,* green; **—ement,** sharply, harshly.

vertu, *f.,* virtue.

vertueu-x, -se, *adj.,* virtuous.

vestige, *m.,* trace.

veuve, *f.,* widow.

vice, *m.,* vice.

vicomte, *m.,* viscount, title of nobility between baron and count.

vie, *f.,* life.

vieillesse, *f.,* old age.

vi-eux, -eil, -eille, *adj.,* old.

vi-f, -ve, *adj.,* lively.

vigneron, *m.,* vintager, vine-dresser.

Vincennes, *pr. n.,* village one mile south-east of Paris. The **bois de —** borders on the Seine.

vingt, *card.,* twenty.

violence, *f.,* violence.

violent, -e, *adj.,* violent.

violon, *m.,* violin.

visage, *m.,* face; **faire mauvais —,** to look unpleasant.

visible, *adj.,* visible.

visite, *f.,* visit, call.

visiter, *v.,* to visit.

vite, *adj., adv.,* fast, quick.

vivacité, *f.,* vivacity, liveliness.

vivre, *v.,* to live.

vœu, *m.,* vow, fervent prayer.

voici, *adv.,* look here, here is, here are.

voie, *f.,* way; **— lactée,** milky way, galaxy.

voilà, *adv.,* look here, here, here is, here are, that's it; **me —,** here I am; **te —.** there you are; **comme te — fait!** what a get-up! **— tout,** that's all; **en — une,** there's one; **nous y —!**

there we are again; **vous — corrigé,** now you've reformed.

voir, *v.,* to see; **voyons, pas de ces idées là!** now, now, no such thoughts !

voiturer, *v.,* to transport, to provide with carriages.

voix, *f.,* voice, vote.

volaille, *f.,* fowl; **filet de —,** chicken breast.

voler, *v.,* to steal, to rob (à, from).

voleur, *m.,* thief.

vos, *pl. of*

votre, *possessive pr.,* your.

vôtre, *possessive pr.,* yours.

vouloir, *v.,* to wish, to want; **je ne veux pas,** I will not; **que veux-tu?** well, yes, what of it? **je le veux bien,** I am willing; **où veux-tu qu'il soit?** where would you have him be? **que voulez-vous dire?** what do you mean? **en — à qq. de qc.,** to be angry with somebody for something.

vous, *pr.,* you, yourself (-selves), to you, to yourself (-selves); **—-même,** yourself.

vrai, -e, *adj.,* true; **—ment,** truly, really.

vue, *f.,* view.

W

Westphalie, *f.,* Westphalia.

Y

y, *adv.,* there, to it, in it; **il — a,** there is, there are; **il — a une heure,** an hour ago.

yeux, *pl. of* œil.